삶의 斷想

삶의 斷想

발　행 | 2024년 05월 21일
저　자 | 김규완
펴낸이 | 한건희
펴낸곳 | 주식회사 부크크
출판사등록 | 2014.07.15.(제2014-16호)
주　소 | 서울특별시 금천구 가산디지털1로 119 SK트윈타워 A동 305호
전　화 | 1670-8316
이메일 | info@bookk.co.kr

ISBN | 979-11-410-8614-5

www.bookk.co.kr

삶의 斷想

김규완 지음

교단일기/단상

시간은 기다려 주질 않는다. 사람에 따라 시간의 의미도 다르다. 또한 어떤 공간속에서 살아가느냐도 행복의 척도가 다르다. 10대 유년 시절을 시골에서 살아 온 저자는 '세상 속에 갇혀 있다.'라는 생각보다는 아늑한 공간속에서 자연과 함께 즐겁게 살아왔다. 고등학교까지 면 소재지에 있는 소규모 학교를 다니면서 사교육과 입시라는 경쟁과 관계없이 산길을 따라 계곡을 따라 등하교를 하면서 상상속의 도회지를 생각할 뿐 간절하게 다가가고 싶지는 않았었다. 하지만 고등학교를 졸업한 후 아무도 조언해 주지 않는 삶에 위기감을 느끼며 처음으로 대학이라는 단어를 생각하게 되었고 선생님이 되고자 지리교육과를 선택하였다. 대학 졸업 후 공개 전형을 통해 영일교육재단 설립자이신 입지(立志) 최상하 선생님과의 만남으로 교직의 길을 걷게 되었다. 학생을 가르친다는 것은 그리 쉬운 일이 아니다. 학생들과 공감하고 소통하며 몸과 마음으로 진정성 있게 실천하는 삶을 보여주는 것이 무엇보다도 필요하다. 앞만 보고 열심히 달려 온 지난 시간을 되돌아본다. 산으로 둘러싸여 쟁반 같은 하늘 아래에서 청소년 시절을 보낸 나로서는 공업도시인 포항이 너무도 넓은 세상이었다. 푸른 바다를 볼 수 있고 많은 사람 속에 살면서 학생들에게 꿈과 희망을 전해 주는 교직의 길을 걸어가고 있음에 감사하고 또 감사하다. 교직의 길에 이젠 종착지가 보인다. 시간은 더 이상 주어지지 않는 것이다. 우리의 삶은 내가 얼마나 노력했느냐에 따라 한정된 시간 속에 희로애락이 발생한다. 시간을 어떻게 보냈느냐에 따라 삶의 보람과 아쉬움도 생기는 것이다. 어설픈 삶의 흔적을 엮어보니 부끄럽기도 하고 내 삶을 오래 기억할 수 있어 보람도 만끽한다. 교직 36년 세월이 한순간이었다. 이제 남은 삶의 시작을 환승하며 힘차게 출발하려한다.

차례

교직 꿈을 실현하다(1989.3.)

'간절함이 있으면 이룰 수 있다.' 는 말이 있다. 교사가 되고 싶은 간절함을 드디어 이룬 것이다. 빨리 취업하여 평생 자식을 위해 문경 산골짜기에서 농사일을 하시며 뒷바라지를 해 오신 부모님께 효도하고 싶었고 학생들과 함께 배우고 가르치는 교직의 길을 걷고 싶은 꿈을 실현한 것이다. 신문에 게시된 영일교육재단의 교사 모집 광고를 보고 응시하여 공개수업과 면접을 통과하고 당당히 합격하여 교직의 길을 걷게 되었다. 특히 면접 시 영일교육재단을 설립하신 입지 최상하선생님의 교육철학을 들으며 많은 감동을 받았다. 입지 선생님은 솔선수범하는 자세, 모범을 보이는 교사가 되어야 함을 많이 강조하셨다. 훗날 돌아보는 교직의 시간 들 속에 처음이 곧 마지막과 같음을 인식하는 내 자신이 될 수 있어야겠다고 다짐을 해 본다.

입학식 날 교무실 칠판에 적혀 있는 담임 이름을 보고 깜짝 놀랐다. 영일중학교 1학년 3반 담임이다. 첫 교직의 길, 첫 담임, 무척 설레고 가슴이 벅차다. 중학교 까까머리가 되는 아이들도 얼마나 새로울 것인가. 국민학교 학생이 아닌 중학교 학생이 되어 만나게 되었으니 말이다. 입학식 날 아침엔 날씨가 흐리고 비가 내려 운동장에서 입학식을 하지 못하고 고등학교 입지관 3층 강당에서 실시하였다. 입학식엔 학부모님들도 무척 많이 오셨다. 담임선생님 소개 시간에 무척 떨렸다. 학부모님들은 담임선생이 누가 되었는지 궁금해하며 시선을 집중하고 있었다. 입학식 후 61명의 학생을 한 줄로 세워 대장인 담임이 맨 앞에 서고 중학교 본관 3층까지 인솔하였다. 대 군사였다. 학부모님들도 무척 많이 오셨다. 학부모님들은 창문을 통해 담임과 학생들의 모습을 보고 계신다. 먼저 담임 소개를 하고 학생들에게 시간표 및 학교생활을 안내하며 그다음은 어떻게 보냈는지 정신이 없다. 선생님으로서의 길을 걷게 된 첫날이다. 훗날 후회하지 않는 교사의 길을 걸었다고 내 자신에게 이야기할 수 있는 삶을 살아가리라 다짐을 해 본다.

1989년 교실 모습

1989년 1학년 3반

30년만에 만나다

숙직(1990. 7.)

　밤새 잠 못 이루다 새벽이 되어 잠이 드는 숙직. 한 달에 한 번 정도 돌아오는 근무이건만 숙직을 하고 나면 밤새 순찰 등으로 숙면을 하지 못해 몸이 찌뿌둥하다. 오늘 아침도 여느 때와 다름없이 숙직실 앞을 지나는 아이들 소리에 잠을 깼다. 송동(대송면)에서 오는 학생들은 통학버스를 타고 오는 관계로 가장 먼저 등교를 한다. 시끌시끌한 소리가 얼마나 반가운지 모른다. 야간엔 순찰 시계를 들고 순찰을 돌며 정해진 장소에 위치한 고정 열쇠로 시계 구멍에 넣고 돌려 찍어야 한다. 다음날 행정실에서 순찰 시계를 열면 순찰을 한 시각마다 표시가 되어 있다. 옛날 운동장이 공동묘지였다는 선배 선생님에게 전해 들은 이야기, 창문을 닫지 않고 하교한 학급에서 휘날리는 흰색 커튼을 보노라면 머리카락이 하늘로 치솟는 느낌이다. 순찰 후 숙직실에 오면 잠이 잘 오질 않는다. 겨우 잠이 들어 숙면은 아닐지라도 아침 등교하는 학생들 소리를 듣노라면 그렇게 반가울 수가 없다. 숙직하는 날 비라도 내리거나 천둥 번개가 치는 날엔 군대를 다녀왔지만 무섭기도 하다. 순찰 고정 열쇠는 운동장을 가로질러 고등학교 입지관 뒤 기계실 지하계단에도 있다. 이곳을 가노라면 일부러 근소리노 지고 노래를 부르며 씩씩한 척한다. 다시 입지관 뒷길을 돌아 급식소 기둥에 매달려 있는 열쇠를 찾아 순찰 시계 구멍에 맞춰 돌린다. 이렇게 넓은 교정을 한 바퀴 돌아 숙직실로 돌아오면 땀범벅이 된다. 어찌 잠이 오겠는 가. 숙직 없는 날은 언제 오려나?

1990년 교실 모습

단골 1학년 담임

학교에 오자마자 담임을 시작하여 매년 담임을 맡고 있다. 총각선생님인 관계로 남학생반을 맡고 있다. 그리고 3년 차 교직 생활이지만 아직 3학년 담임을 맡아 보지 못했다. 1학년만 두 번, 2학년은 한 번 담임을 해 보았다. 중학교에서 고등학교로 진학하는 학생들에게 진로지도와 함께 선택이라는 설레임을 함께 느껴 보고 싶다. 하지만 1학년 담임도 나름 보람은 있다. 첫해 학급 인원이 60명이 넘었는데 요즘은 45명~50명이다. 쉬는 시간이면 교실은 난장판이다. 교실 앞에선 레슬링을 하고 있고 복도에선 100m달리기 수준으로 달리다가 부딪히고 넘어지고 활기찬 1학년 교실이다. 아이들도 담임의 성향에 따라 다르다. 쉬는 시간엔 그렇게도 전쟁을 하다가 장희목 도덕선생님, 그리고 내가 들어가는 수업 시간이 되면 그래도 조용해진다. 환경 정리를 한 뒤편 게시판엔 손자국, 물자국이 얼룩져 있고 쓰레기통은 과자 부스러기 등으로 가득하다. 중학교 1학년 남학생 교실이 정리 정돈 된다는 건 아이들과의 사투를 통해서 이루어진다. 2학년, 3학년이 되면 다르다. 그래서 1학년 담임을 좀 벗어나고 싶은데 교감, 교장선생님은 아직 배정을 해 주시지 않으니 안 피끼올 따름이나. 변하자고 하는 건 아니지만 새로

운 경험을 해 보고 싶은 욕구가 생긴다. 오늘도 난
아이들과 전쟁을 치룬다.

영일중 1학년 2반(1991년)

지리산이 아니라 지리산맥? (1991. 7.)

(산행코스)

성삼재-노고단산장-노고단고개-반야봉-삼도봉-화
개재-연하천산장-벽소령-세석평전-촛대봉-장터목-
천왕봉-개선문-법계사-중산리탐방안내소

(약 31.5km/2박3일)

교직원 산악회에서 이번 여름방학엔 지리산 산행을
하기로 사전에 결정을 하고 준비를 하였다. 국립공
원 제1호로 지정된 지리산은 그 범위가 3도(전남,
전북, 경남)와 5개시.군(하동군, 산청군, 함양군, 남
원시, 구례군)에 걸쳐 있는 광범위하고 웅장하며 경
치가 뛰어 난 명산이다. 일반 산행과는 달리 산에서
숙식을 해야 하기에 준비도 사뭇 달랐다. 9명이 참
가하게 되었는데 텐트는 3인용 3개를 준비하기로
하였다. 그리고 산에서 회원들이 먹을 반찬과 식량
을 잔뜩 준비하였다. 곤로, 냄비, 부탄가스, 간장, 식
용유, 참기름, 소금, 고춧가루, 통조림, 감자, 양파,
대파, 오뎅, 라면, 주류, 커피, 쌀....참 많이도 준비를
하였다. 문제는 이 많은 음식 재료들을 배분하여 가
지고 가는 일이 중요하였다. 일단 무거운 감자, 통
조림, 간장 등과 텐트는 총각 선생 세 명이 분배하
여 짊어지게 되었다. 나 역시 총각인지라 텐트를 배

낭 위에 올려서 짊어졌다. 무게가 장난이 아니었다. 군대 시절 군장의 무게보다도 훨씬 무거웠다. 아무튼 지리산 성삼재까지는 짐이 많은 관계로 45인승 대형 버스를 대여하여 이동하게 되었다. 배낭이 한 자리씩 모두 차지하니 그야말로 에베레스트원정을 가는 듯한 분위기였다. 장엄한 분위기이다.

　이른 새벽 전세 버스를 타고 지리산 성삼재 주차장으로 향하였다. 무려 5시간이나 달려 성삼재에 도착하였다. 동이 트는 성삼재에서 내려 배낭을 짊어지니 당황스러웠다. 너무 무거운 것이 아닌가. 하지만 총각의 체면이 있지. 노고단(1,507m) 산장앞에서 단체 기념사진을 찍고 산행을 시작하니 얼마 걷지 않아 모두 숨이 차오른다. 우리 일행 앞에는 아버지와 중학교 아들이 지리산 산행을 즐겁게 열심히 하는 모습을 보았다. 부자지간에 힘든 산행을 하는 모습을 보니 흐뭇하게 느껴졌다. 일행의 속도가 자꾸 늦어진다. 구성회선생님, 장용표선생님의 숨소리가 특히 거칠다. 이때 우리는 연하천 산장에 빨리 도착하여 텐트를 칠 장소를 선점하기 위해 선발대가 조직되었다. 선발대는 4명으로 구성되었다. 가장 산행을 잘하시는 문병국선생님과 텐트를 각자 하나씩 메고 있는 총각 세명으로 조직되었다. 노고단을 지나면서부터 우리는 선발대 3명과 후미에 6명이 서로 떨어져 산행을 하게 되었다. 지리산은 완만하면서도 1,500~1,600m 봉우리를 오르락 내리락 하면서 걷는 코스인지라 상당히 이동하는 거리가 생각보다 멀게만 느껴졌다. 해발 1,500m이상을 걷고 있는지라 발아래는 구름으로 가려 보이지를 않는다. 사진을 찍고 있으면 금방 운무가 사라지고 순간 발아래는 낭떠러지가 아닌가. 정말 마음을 놓았다가는 큰일 날 일이다. 총각샘에서 총각들이 목을 축이니 힘이 나는 듯하다. 다시 연하천으로 이동. 뒤에 오는 사람들은 어디쯤 오는지 통 알 수가 없다. 점심은 김밥으로 대신하고 얼마나 땀을 흘렸는지 허기가 느껴졌다.

해가 저무는 무렵 선발대는 먼저 연하천에 도착하였다. 온종일 걸었는지라 너무 피곤하였다. 텐트를 칠 자리는 충분하였으나 선발대 대장님께서 그냥 산장에서 편안하게 잘 것을 제안하였다. 산장에 잘 수 있는 인원도 한정되어있기에 먼저 예약을 해야 하는 상황이었다. 우리는 산장에서 잘 인원을 예약하고 저녁 식사 준비에 들어갔다. 쌀을 꺼내고 간장, 감자, 통조림을 꺼내 요리를 하기 시작하였다. 저녁을 다해 놓고 후발대를 기다리니 모두 기진맥진하여 나타난다. 근데 한 명이 보이질 않는다. 체중이 좀 나가시는 구성회선생님이 보이질 않는다. 어둠은 내리고 걱정이다. 결국 산악동아리 지도교사인 최규정선생님이 왔던 길을 자진하여 찾아 나섰다. 한참을 기다리니 어둠 속에서 최규정선생님이 배낭을 대신 메고 함께 땀범벅이 되어 도착하였다. 이렇게 우리는 지리산 산행 첫날을 마무리하게 된다. 걷고 또 걷고 온몸은 땀으로 범벅이 되고 자연의 위대함을 느낀 하루였다. 얼마나 힘이 들었는지 세수만 하고 모두 곯아떨어졌다. 지리산 정취를 만끽하며 한 잔의 술을 마시고 커피 한잔을 나눌 마음과 몸이 아니었다. 다음 날 아침 피곤한 몸을 일으키고 아침밥을 먹고 이형수선생님은 남은 밥으로 김밥을 만들고 계셨다. 김을 깔고 밥을 펼치고 그 위에 남은 김치만 놓고 그냥 손으로 둘둘 말아 만드는데 손가락 사이로 붉은 김치물이 흐른다. 김밥은 각자 두세 개씩 받아 배낭에 넣고 다시 출발. 이번에도 하루 종일 걸어 장터목산장까지 가는 강행군이었다. 역시 선발대가 그대로 조직되어 먼저 장터목에 도달하여 이번엔 텐트를 칠 장소를 선점하는 그것이 아니라 산장을 예약하는 임무를 부여받았다. 세석평전을 지날 즈음 남한에서 해발고도가 가장 높은 고위평탄면임을 금방 알 수 있었다. 해발 1,500m가 넘는 곳이 이렇게 평탄할 수가 있을까 하는 경이로움이 들었다. 이곳은 봄철이면 진달래, 철쭉이 피면 장관을 이룬다고 한다. 세석평전은 어머니의 손바닥처럼 안락하고 따뜻한 곳, 즉 '잔돌이 많은 평지'라는 뜻이다. 근데 아침에 손가락 사이로 김치물이 흐르던 김밥이 이렇게 맛이 있을 줄이야. 정말 감탄이다. 옛 원효대사의 해골물이 생각난다. 배가 고프니 김밥 자체가 행복이다. 이보다 더 값지고 맛있는 음식은 없을 것이다. 모든 건 마음먹기에 달렸다. 지금 힘들고 지쳐 가지만 정상에 서면 그만큼 큰 보람이 있을 것이다. 우리는 마음을 추스르고 다시 가는 길을 재촉한다. 촛대봉에 이르렀을 무렵 우리는 엉뚱한 방향으로 길을 내려 서게 되어 잠시 혼돈에 빠져 버렸다. 길잡이 문선생님께서 길을 잘못 알고 약 100여m를 내려 서게 된 것이다. 그래도 빨리 이를 알게 되어 우리는 촛대봉에서 기념사진을 한 장 찍고 장터목으로 향할 수 있었다. 산을 걷다 보면 참 많은 생각을 하게 되는 것 같다. 제대로 가지 못할 때는 돌아서 갈 수도 있는 것이 산길이오, 왔던 길을 다시 가면서 제대로 찾아 갈 수 있는 길이 산길이고 가파르지만 힘들게 가로질러 갈 수 있는 곳이 산길인 것 같다. 어느 길을 가든 정상엔 모두가 함께 가는 것. 빨리 가든 늦게 가든 정상에서 회열을 느낄 수 있다는건 인간의 의지이고 노력의 결실이라고 생각된다. 아침 9시부터 꼬박 8시간을 걸어 도착한 장터목. 마침 산장에 우리 일행이 모두 묵을 수 있다 하니 선발대의 역할을 제대로 한 느낌이다. 장터목(1,660m) 산장 우물터는 한참을 내려서야 위치한다. 짐을 풀고 후발대가 도착하기

전 저녁 식사 준비를 하였다. 선발대 배낭에서 요리할 재료들을 모두 꺼내 요리를 하였다. 모두들 대학시절 자취생활을 오래한 경험이 있어 일사분란하게 저녁식사준비를 하였다. 어둠이 내릴 즈음 후발대가 하나둘씩 도착하였다. 그런데 또 한 명이 보이질 않는다. 어제도 늦게 도착한 구성회선생님이 도착을 하지 않은 것이다. 후발대 역시 오면서 자꾸 뒤쳐져서 걱정을 하면서 왔다고 하는데 정말 난감하다. 그렇게 걱정을 하는 사이 반갑게도 땀범벅이 된 구성회선생님이 나타나셨다. 너무도 반가웠다. 그때 하신 말씀이 아직도 뇌리를 스친다. '이곳은 지리산이 아니라 지리산맥이다.'라고 표현을 하였다. 이때부터 이 말씀은 산악회에서 거룩한 어록이 되어 회자 되고 있다. 마지막 날 이른 새벽 일출을 보기 위해 우리는 피곤한 몸을 챙겨 천왕봉으로 향했다. 피곤해서인지 2층에서 내려받은 배낭의 무게는 장난이 아니었다. 피곤해서이겠지하며 아무 생각 없이 배낭을 메고 힘겹게 천왕봉에 올랐다. 오르는 길엔 운무가 앞을 가려 일출을 보기가 어렵겠구나 하고 생각 되었다. 역시나 땀을 뻘뻘 흘리면서 도착한 천왕봉 주변은 아무것도 보이질 않는다. 하지만 정상의 상쾌한 공기와 기쁨은 무엇과도 비교가 되질 않는다. 높이 1,915m '어리석은 사람이 머물면 지혜로운 사람으로 달라진다.'하여 지리산(智異山)이라 불렀고 백두대간의 남쪽 끝이기도 하다. 우리나라 남한 내륙의 최고봉인 천왕봉(1,915m)을 주봉으로 하는 지리산은 서쪽 끝의 노고단(1,507m), 서쪽 중앙의 반야봉(1,732m) 등 3봉을 중심으로 하고 있다. 천왕봉의 기운을 받아 앞으로의 삶에 큰 힘이 되었으면 하는 바램이다. 천왕봉의 표지석 글귀가 가슴에 와 닿는다. '한국인의 기상이 여기서 발원되다.'라는 글귀 앞에서 단체 사진을 찍고 우리는 중산리로 하산을 시작하였다. 내려오는 길은 중산리까지 약 5.4km이며 가파른 돌계단을 밟으며 내려서야 한다. 무릎의 통증이 엄습해 오는 순간 시원한 물소리가 가깝게 들린다. 계곡에 다다르자 배낭을 벗어 던지고 모두 물속으로 뛰어 들었다. 지리산이 아니라 지리산맥이다. 라는 말을 다시한번 되뇌이며 우리는 지리산 2박3일 코스를 마무리 하였다. 일생에 있어 언제 또 이곳을 종주할 수 있을지 의문이다. 힘들고 힘든 순간에 서로가 의지하며 정상을 향해 달려온 시간, 그리고 정상에서 함께 기쁨을 만끽한 순간은 인생에서 영원히 잊지 못할 것이다.

위사진: 노고단에서 ,   아래사진: 천왕봉 1,915m

처음 맡은 여학생 담임

교직에서 처음으로 여학생 담임을 맡게 되었다. 그것도 담당 하고 싶었던 3학년 담임을. 남학생과 달리 여학생은 더욱 덩치가 크고 어른스럽다. 중학교 1학년 남학생 개구쟁이들만 보다가 뭔가 정숙 된 교실 분위기를 접하니 학생들이 어른스럽다. 여학생들은 친구들이 끼리끼리 모이는 분위기이다. 남학생하고는 전혀 다른 느낌이 든다. 밥을 먹어도 매점에 가도 체육 시간 운동장으로 향해도 늘 그 아이 옆에는 그 아이가 있다. 수업 시간이나 조. 종례 시간에 특정 학생에게 칭찬하면 절대 안 된다. 여학생들은 질투심이 많은 것 같다. 담임은 칭찬에도 절대 공평해야만 한다. 그동안 줄곧 4년 동안 남학생 담임만을 하다가 여학생들을 만나니 매우 조심스럽다. 반면 아이들은 선생님 입장을 많이 이해해 주는 분위기이다. 수업 시간이면 눈망울이 너무도 진지하고 맑다. 학생들의 진로에 대해 상담을 해 보니 고등학교 선택에 있어 많은 고심을 한다. 인문계 고등학교가 아닌 가정형편을 고려하여 실업계를 선택하는 학생도 있다. 학력 지상주의를 앞세우는 현실 앞에서 가정형편을 고려하여 상업계열 고등학교로 진학하여 취업을 먼저 생각하는 학생을 만나게 되니 마음이 아프다. 공부를 잘하는 학생, 공부를 못하는 학생, 적극적인 학생, 소극적인 학생 등 51명 우리 반 아이들 모두 밝고 자신감 있게 세상을 살아가는 디딤돌을 만들 수 있도록 최선을 다하련다. 파이팅!

경주 보문호에서(1993년)

편지 쓰기가 어색해 버린 우리들(1994)

누런 빛바랜 편지봉투를 정리하면서 스쳐 지나가는 수많은 얼굴들을 그려본다. 언제부터인가 편지쓰기가 게을러졌고 오는 편지도 뚝 끊어져 수북이 쌓여있는 빛바랜 편지 뭉치가 왠지 보물단지처럼 여겨진다. 서울에 간 누나가 부모님과 동생들의 안부를 궁금해하며 쓴 편지. 고등학교 친구가 사춘기의 갈등을 이기지 못하고 푸념을 늘어놓은 편지. 군대 간 형이 병영생활을 그려 놓은 편지. 이웃집 친구 어머니께서 글씨가 잘 안 보인다고 편지를 들고 오실 때면 대신 읽어 주고 불러 주시는 대로 답장을 써 주었다. 멀리서 우체부 아저씨가 꾸불꾸불한 길을 따라 자전거를 타고 올 때면 동네 꼬마들은 즐거이 뒤를 따랐고 반가운 편지에 함께 즐거워하고 슬픈 편지에 함께 슬퍼해 주던 그런 우체부 아저씨였다. 오늘날 첨단 산업이 발달하고 바쁜 산업사회로 접어들면서 도시가 발달하고 교통수단과 통신 산업이 발달하면서 우리들의 일상생활과 함께 가치관 또한 놀랄 만큼 변화하였다. 통신수단의 발달이 가장 크게 작용을 하였겠지만 요즈음 우리들은 너무도 편지쓰기에 게을러져 있는 게 아닌가 생각해 본다. 요즘의 우편물들이란 은행에서 날아드는 각종 할부금 결재액과 상품 광고물들로 오히려 종이 낭비와 처리 문제로 고심할 뿐이다. 편지 봉투, 편지지, 우표를 구입하여 글을 쓰고 우체통에 갖다 넣어야 되는 번거로움 보다는 40 원만 투자하면 간단히 시내 통화를 할 수 있고 며칠씩 걸려서 안부를 알게 되는 서울 누나의 소식도 전화 한 통이면 정다운 목소리와 함께 얼마든지 대화를 나눌 수 있는 게 현실이다. 하지만 우리는 편리함 속에 한 가지를 잃어버리고 있다. 바로 그리움과 따스한 마음의 정을 잃어 버렸다. 너무도 삭막하고 정성이 없다. 옆구리에 찬 삐삐가 등장함으로 인해 청소년들의 옆구리에도 누구나 멋으로 하나씩 차고 다니는 게 유행이 되어 버렸고 언제 어디서나 호출만 하면 되는 게 우리들의 소식 전달 방법이 되어 버렸다. 편지는 안부뿐만 묻고 답하는 것이 아니라 자연을 묘사하며 주위 환경을 감상할 수 있고 상대방의 사고를 알 수 있고 한 장의 종이 위에 모든 철학을 담고 있는 것이다. 오늘날 우리는 너무도 바쁘고 당당하다. 상대방의 얼굴을 맞대놓고 욕설을 퍼 부을 수도 있고 자신의 의견을 너무도 잘 전달하고 있다. 차분히 마음을 가라앉히고 상대방에게 글을 적어 마음을 전달하는 여유가 그 어느 때 보다도 필요한 시기가 아닌가 생각해 본다. 최근 오랜 기간 동안 서로가 나누었던 편지를 한 권의 책으로 엮어낸 사람도 많은 것으로 안다. 후손들에게 있어서 이 한권의 편지 묶음은 시대 생활의 사실을 간접적으로 경험할 수 있는 중요한 자료라고할 수 있다. 편지는 인생의 경험자에게 가르침을 배우고 친구 간에 의를 전하고 연인과 사랑을 나누며 가족들에게 관심을 표명하는 것으로서 아무리 바쁘고 산업 사회의 혜택을 누릴지라도 결코 편지에 무관심해서는 안 될 것이다.

老 스승의 말씀

교직생활 7년차로 접어들었다. 이따금 국민학교 1학년 때 박종근선생님이 생각이 난다. 그러면 다시 한번 몸가짐을 추스르게 된다. 지금은 정년 퇴임을 하시고 글을 쓰시며 고향에서 농사일에 열중이시다. 가슴에 손수건을 달고 선생님의 우렁찬 목소리에 아이들은 한 줄로 따라 나섰고 운동장 한 모퉁이에 모두 모아 놓으시고 "반장 하고 싶은 사람!"하시기에 손을 번쩍 들어 국민학교 6년 중 처음이자 마지막으로 반장 한 번 하였던 순간이었다. 항상 사랑과 관심으로 어린 학생들을 대해 주셨던 선생님. 좁은 비포장 길을 요란한 소리 내며 달리는 선생님 자전거 뒤를 잡고 뛰었던 그때가 생각난다. 선생님께서 정년퇴임 직전 보내 주신 편지 답장에 하신 말씀이 아직도 뇌리를 떠나지 않고 있다. '선생은 많은데 스승이 없고 학생은 많은데 제자가 없다.'라는 우리 모습을 상당히 가슴 아파하시며 못난 제자에게 좀 더 충실한 삶을 살아갈 것을 충고해 주셨다. 이는 우리의 현실을 상당히 의미 있게 표현한 말이라고 할 수 있다. 요즘 우리 사회는 도덕성 상실로 가슴 아픈 일들이 TV 등 대중매체를 통하여 아침에 일어나면 접할 수 있는 일들이 빈번하다. 부모가 자식에게 살해되고, 스승이 제자에게 구타를 당하고, 멀

29

쩡해 보이던 한강 다리가 떨어지고 가스관이 폭발하여 도시 전체가 아수라장이 되고.....이는 모두 각자의 본분을 망각하고 물질적인 쾌락과 풍요만을 갈구한 나머지 인간성을 상실하였기 때문에 나타난 것들이라고 할 수 있다. 요즘 우리의 가치관에는 옛 정서적인 면보다는 현실적이고 직설적인 패기 넘치며 상당히 냉철한 사고력이 팽배해 있다. 한편으로는 이기적이고, 자기중심적인 사고와 함께 직장과 학교에서의 부딪힘을 보면 동료의식과 친구간 우정보다는 개별적인 구성원과 경쟁자로서의 관념이 더 많은 것 같다. 마침 얼마 전 발표된 5. 27교육 개혁의 가장 큰 내용이 앞으로의 학교 교육은 입시 위주 교육을 탈피하여 인간성 회복에 중점을 둔다는 내용이다. 이는 무척 반가운 현상이며 바람직한 일이라고 할 수 있다. 우리는 또한 인생 경험을 존중하고 새로움을 발견해 나가는 기쁨을 맛볼 수 있어야 한다.

지난 겨울 여러 선생님들과 함께 백암산을 등반한 일이 있었다. 대부분 선생님들께서는 새벽 일찍 일어나셔서 등산화를 챙기시고 아이젠까지 준비하신 분도 계셨다. 하지만 나는 이 산쯤이야 하는 마음으로 등산화도 아닌 운동화를 신고 가벼이 산행에 임하였다. 그런데 이게 웬일인가. 정상 부근엔 눈이 얼어붙어 얼음 길이 아니던가. 올라가는 길은 그렇다 치고 내려올 땐 얼마나 넘어지고 했던지 다리에 너무 무리하게 힘을 주어 그만 관절통을 경험하게 되었다. 좀 더 준비하고 여러 선생님들의 모습에서 느낌이 있었어야 했거늘 내자신만 믿고 나섰다는 것이 상당히 부끄럽게 여겨졌었다. 이처럼 우리 사회는 자신만의 사고만으로는 세상을 살아가지 못하는 것이다. 남에게 배울 것은 배우고 선배의 경험을 존중하고 대접해 줄 수 있는 풍토가 조성되어야 하고 후배들의 지혜로움이 접목되어 발전해 가는 집단들이 되어야 하는 것이다. 우리 사회 구석구석에는 아직도 불신과 허황된 꿈을 안고 살아가는 이들이 많이 있는 것 같다. 교단의 보람을 느낄 수 있고 학교 공부에 흥미를 느낄 수 있는 선생님과 학생이 공존할 수 있는 이 사회는 누가 만들어 나가야 될 것인가 ? 그 주체는 바로 누구인가 ? 바로 지역의 주민과 교사와 학생들일 것이다. 학교를 신뢰하고 자녀를 맡길 수 있는 학부모, 생업보다는 보람으로 제자를 길러낼 수 있는 교사, 그리고 미래의 꿈을 즐거이 키워나가며 면학에 몰두하는 학생들로 구성 되어 진다면 이 사회는 발전할 것이고 부끄러운 역사의 오점을 남기지 않을 것이라고 확신한다. 졸업을 하고 아직도 잊지 않고 편지를 보내 주는 제자들에게 고마운 마음 이루 표현할 수 없다. 때론 힘들고 갈등이 생기다가도 이따금 날아드는 제자들

의 편지에서 나의 존재를 다시 한번 생각해 볼 수
있고 좀 더 후배들을 열심히 지도해달라는 충고에
기쁨과 보람을 갖고 살아간다.

'선생은 많지만 스승 다운 스승이 없고 학생은 많지
만 제자다운 제자가 없다.'라는 노 스승님의 현실의
아쉬움을 이 못난 제자가 메꾸어 갈 것을 깊이 생각
해 보며 건강한 인성을 지닌 주역들을 배출시키고자
최선을 다하리라 다짐한다.

문경시 농암면 대정공원 소풍(1970년)

20세기 교무회의(1995. 9.)

우리나라 사람들은 예로부터 겸손을 삶의 미덕으

로 삼았었다. 아랫사람이 아무리 자신의 의견이 옳아도 윗사람 앞에서는 상대방의 의견을 동조해 주어야 했고 가만히 듣고만 있는 것이 예의를 지키는 것이라 알고 있었다. 감히 말끝을 잡아 자신의 주장을 폈다간 세상에서 가장 버릇없는 놈이라고 질타를 받아야만 했다. 현실에 맞지 않는 불합리한 일이 있어서 상관에게 충고하고 지시에 불복종하면 낙오자가 되고 상관의 뜻에 동조하며 허리 굽히며 아부하면 신임을 얻음과 동시에 유능한 자가 되는 세상이 우리의 잘못된 미덕임을 여러분은 진정 알고 있는가?

요즘 학교생활 10여 년에 가까이하면서 정말 많은 것을 느낀다. 1년 전. 5년 전. 7년 전. 교무실의 교직원 회의를 보면서 세상은 달라져 가고 있건만 우리 21세기의 주역들을 교육시키는 선생님들의 교무회의는 아직도 변화를 추구하지 않는 모습이다. 의제 하나 없는 지시 전달의 반복된 부끄러운 시간이 이어지고 있다. 잠시 회의 진행을 살펴보기로 하자. 먼저 마이크를 잡은 교무주임선생님의 말씀 "직원협의회를 시작하겠습니다." 이 말이 떨어짐과 동시에 주감선생님의 주훈과 실천사항 발표. 우유담당 선생님의 우유신청하라는 말씀. 각종 전달과 함께 주임 선생님 서열 순서대로 마이크는 넘어간다. 먼저 윤리과에서의 독서에 대한 말씀. 환경과에서의 쓰레기 분리수거 말씀. 학생과에서의 생활지도에 대한 말씀.

그리고 마이크는 순서대로 교감 선생님, 교장선생님에게 넘어간다. 그동안 여러 선생님들이 전달한 내용 들은 전부가 학생들의 잘못된 것들만 나열한 것이고 전달 내용도 지난주나 한 달 전이나 똑같은 것들이다. 잔뜩 교무 수첩에 적던 담임선생님들은 각자 교실로 향하여 짧은 2, 3분 정도의 전달과 함께 출석 점검으로 바삐 움직여야 한다. 참으로 한심하기 그지없는 우리의 현실이다. 이제 우리는 변해야 한다. 어떤 체제를 부정하는 것이 아니라 세계화를 위한 우리의 마음가짐이 변해야 한다는 것이다. 민주주의를 발전 시키고 올바른 가치관을 가르쳐야 할 학교에서 아직도 구태의연한 자세로 일관하며 상급자는 얘기하고 지시만 할 뿐이고 하급자는 시키는 대로 장부에 받아 적기만 하는 교무실 회의 분위기를 보면서 많은 회의감과 아쉬움을 느낀다. 학생들에게 민주 의식을 가르치는 사회 선생의 역할이 참으로 부끄럽기 그지없다. 오늘날엔 너무나 자신만의 주장을 편 탓에 사회 구석구석에서 많은 갈등이 일고 있는 것도 사실이다. 우리가 살아가고 있는 사회는 나만의 공간이 아니기에 더불어 살아가는 겸손의 미덕은 꼭 필요한 것이다. 우리 사회가 아무리 바쁘고 복잡하고 힘 있는 자가 군림한다고 할지라도 아름다운 미덕을 가지고 살아가는 힘 없는 자를 포용해 줄 수 있어야 하며 잘못된 구조적인 모순은 개선

해 나가는 적극적인 자세가 필요한 시기이다.

운동장에서의 졸업식(1994년)

IMF의 한파를 이기는 길 (1998. 1. 6.)

1. 국회위원 숫자를 줄인다.

맨날 멱살 잡고 당리당략만 추구하는 모습들로 얼룩져 있는 우리의 국회. 자신들의 세입은 늘리는 데는 동의 하면서 정리해고제를 통한 국민의 고통을 법률화하려 하고 있다. 국민들의 본보기가 되어야 할 국회부터 정리해고제를 통하여 국민이 뽑지 않은 전국구의원들과 무능력한 국회의원들부터 정리를 하여 국가의 재정을 축내지 말아야 할 것이다.

2. 거품을 없애야 한다.

아이들의 학용품에서 비롯하여 각종 공업제품에 이르기까지 정가를 명확히 매겨 부도덕하게 거품을 삼키는 부정한 이들이 이사회에서 사라져야 한다.

3. 교육의 악습을 없애야 한다.

정권만 바뀌면 없어지고 등장하는 각종 교육제도로 인하여 우리의 교단은 우왕좌왕하기 일쑤다. 조기영어교육, 위성과외, 능력별 이동식 수업, 해외 유학의 자율화....무분별한 정책으로 인하여 혼란과 낭비가 심하다. 미국에선 밤만 되면 자가용 몰고 나이트클럽에 한국인 유학생들이 판을 치고 있다고 한다.

4. 국민들의 근검, 절약 정신함양. 대중교통이용하기 등등 이루 헤아릴 수 없는 많은 것들이 있겠지만 정말 우리 정치인들부터 시작하여 전 국민이 한마음 한뜻으로 뭉쳐야 될 시기가 아닌가 생각해 본다. 우리 모두 IMF로 인한 어려운 현실을 헤쳐 나갑시다.

교단의 변화 시작(1998. 11. 4.)

교육개혁의 일환으로 교사의 정년이 60세로 줄어든다고 한다. 갑자기 정년을 맞이한 수 많은 교사들의 항변이야 이루 말할 수 없지만 어려운 국가 경제의 구조 조정 속에 교사라고 예외일 수는 없는 것 같다. 하지만 백년지대계의 책임을 지고 있는 교사들의 사기에 조금의 힘은 되지 않고 60세의 노 교사들의 등을 강제로 떠미는 듯하여 안타깝기만 하다. 대졸자들의 실업을 한순간 조금이라도 해소가 된다고는 하지만 과연 경력과 연륜이 있는 그들의 몫을 패기, 젊음 하나로 메꾸어갈 수 있단 말인가?

한자리에 안주하며 평생직장을 보장받았다는 사실로만 여기는 교사가 아니라 진정 학생들을 위하고 보람을 안고 살아가는 교사가 더 많을 진데, 요즘은 소수의 부질없는 교사들로 인하여 모든 교직자들의 자존심이 정책과 맞물려 도매금으로 넘어가고 있는 듯하다. 이젠 학생이 담임을 고르고, 과목을 선택하고, 교사의 월급도 연봉제로 하고, 능력 있는 교사의 월급을 차등 지급하며, 교사의 정년도 계약제로 한단다. 얼핏 들어보면 정말 진취적이고 그야말로 교육의 대개혁인 듯하다. 아직 아무리 시대가 변해도 우리 교육의 근본 바탕의 존립은 필요한 때라고 본다. 학생에게 존경받고 신뢰받는 교사의 상을 추구하면 되는 것이지 인기 있는 사람, 인기 없는 사람, 학생들에게 사탕발림이나 하며 교육을 하란 말인가. 야구 선수 축구 선수와 같이 일시적인 젊음의 대가를 받는 연봉제로 어떻게 교사의 월급을 정하며 현실적인 지급이 가능하단 말인가. 아직 확정된 것은 아니지만 교육정책의 결정을 내리고 있는 시점에 참으로 우려하지 않을 수가 없는 것들이다. 인자하고 밝으신 웃음을 잃지 않으시고 산골짜기 시골 교정에서 오늘도 해맑은 아이들의 벗이 되어 주고 계신 옛 선생님들의 모습이 스쳐 지나가는 하루이다.

가을소풍 - 영일중 3학년 담임(1998년)

호박예찬론(1999년 가을)

들녘에는 곡식이 무르익어가고 길가에는 코스모스 행렬이 가을의 정취를 물씬 풍기고 있다. 가을...말만 들어도 고향을 그리게 하고 지나온 추억을 떠올리게 한다. 여러분들은 가을하면 무엇을 먼저 떠올리나요? 혹시 추석의 귀성객? 올해는 약 3200여만명이 고향길에 올랐다고 한다. 여느때와 마찬가지로 나 또한 고향길에 올라 집 대문에 막 들어서면서 이 가을의 보물(?) 호박을 만났다. 호박. 오늘 호박에 대하여 예찬론을 좀 펼치고자 한다. 보통 우스갯소리로 못생긴 얼굴을 호박에 비유를 하곤 한다. 왜 이와 같은 비유에 호박을 등장시켰는지 모르겠다. 이른 봄에 호박씨를 하나 심어놓으면 별 노력 없이도 호박은 씨앗을 싹 틔우고 호박 줄기가 자라 넝쿨이 되어 정신없이 뻗어 나간다. 나뭇가지를 하나 세워놓으면 그곳을 타고 오르기 시작 하여 어느새 지붕으로 올라가고 아니면 담장으로 기어 올라가 노오란 꽃을 피우며 꿀벌을 유혹하고 나비를 찾아들게 한다. 어린 시절 잠시 동네어귀에 놀러 갔다가 소낙비가 내리면 집으로 달려오다 호박잎을 하나 베어 머리 위에 올려놓고 집으로 달려오곤 하였다. 반찬이 귀하던 어려운 시절, 그리고 건강식품을 찾는 오늘날에도 여름 식탁 위에 놓여 져 있는 호박잎은 상추

잎보다도 더 싱그럽고 풋풋한 쌈이 되고 있다. 철봉 대위에서 턱걸이하다 2개도 제대로 하지 못하고 떨어지는 아이들이 그리도 많지만 큰 호박 덩어리를 달아 메고 담장에 기어올라있는 호박줄기는 참으로 그 힘이 경이롭다. 호박씨 하나로 벌과 나비를 불러들이고 그리고 우산이 되어 주고 또 식탁위에선 쌈, 호박죽,호박찌개,호박부침.....참으로 희생과 나눔이 돋보이는 호박이다. 자신의 굵기보다도 몇십배, 아니 몇백배나 큰 노오란 호박을 떨어뜨리지 않고 담장에 매달고 있는 호박 줄기의 모습을 보면서 자연의 생리가 얼마나 신기하고 고귀한 것인지를 새삼 느낀다. 낙엽이 하나, 둘 떨어져 나가고 초록의 물결이 모두 사라져가는 늦가을에도 논두렁, 밭두렁, 담장 위, 그리고 지붕 위에 덩그러니 남아 노오란 빛을 발하는 큰 호박 덩어리는 정말 인고(忍苦)의 결실과 함께 풍성함으로 다가와 이 가을의 쓸쓸함과 공허함을 채워 준다. 이런 아름다운 호박을 누가 못생긴 얼굴에 비유를 했는지 모르겠다. 이제 우리 모두 호박에 대한 생각을 바꾸자. 한철에 한껏 뽐내다가 사라지는 화사한 꽃이 아니라 자신의 온몸을 끝까지 잉태하여 필요한 존재가 되고 있는 아름다운 호박의 모습을 상기하면서 모든 이들과 공감하며 살아가는 이 사회 요소요소에 꼭 필요한 존재가 될 수 있도록 최선을 다했으면 한다.

교육풍토의 변화(2000. 3. 20.)

인간과 인간이 부딪히며 살아가는 공간은 참으로 혼잡스럽고 바쁘다. 어느 직장이나 마찬가지이리라 생각되건만 학교 사회 또한 너무도 안타까운 일들이 많은 것 같다. 초등학교에서는 우등생이었는데 중학교에 와서는 형편없는 학생으로 몰려 문제아가 되는 예가 있는가 하면 반대로 가난하며 보잘것없는 집안의 아이인데 중학교에 와서는 성적이 우수하고 예의 바른 학생이 나타나기도 한다. 중학교에 처음 입학하여 어머니회에 나온 어머니들은 모두 자기의 자녀가 우등생임을 자랑한다. 과연 그럴까? 초등학교에서는 반장선거에도 학부형의 손길이 미친다고 들었다. 이는 모든 학교가 그렇다는 이야기는 아닐 것이다. 학부형이 반 아이들을 초대하여 중국집 요리를 시켜 주거나 노래방으로 아이들을 모아 놓고 선심을 쓰는가 하면 장난감. 학용품을 선물하며 반장선거에 호응해 줄 것을 당부한다고 한다. 참으로 오호통제로다. 이는 과연 누구의 잘못인가? 학부형도 학부형이지만 우리 교사들의 모습도 문제일 것이다. 이렇게 성장한 아이가 중학교에 오면 결국 타락하기 일쑤임은 어쩔 수 없는 노릇이다. 모든 것을 해결해 주는 부모. 그리고 교사. 특별하게 자신의 입장을 알아주지 않는 중등학교에서 결국 학생은 자포자기하고 학교를 그만두는 사례를 보아왔다. 우리 모두 아이의 성장에 적당한 관심과 예리한 관찰력을 갖자. 선생의 자존심보다는 아이의 과욕을 먼저 앞세우고 거침없이 이야기하는 학부모. 이런 모습이 낯설지 않은 교무실의 풍토이다. 통신의 발달로 전화통에 대고 욕설을 하는가 하면 인터넷을 통하여 교육청이라든가 심지어 교육부에까지도 서슴없이 고발하는 학부형들의 저돌적인 태도들이 일상화되어 가는 느낌이다. 내 자신이 교사이기 이전에 나는 학생이었고 우리 부모님이 학부형이었다. 스승의 그림자도 밟지 않는다는 이야기는 이젠 역사 속의 전설이 되어 버린 지 오래되었다. 지난날의 내 모습을 통하여 다가설 수 없는 현실이 참으로 안타깝다. 변화하는 물결 속에 변화되지 말아야 될 것도 있다고 본다. 인간과 인간이 부딪히며 살아가는 교육의 현실에서 경시 되어가는 오늘의 교육풍토가 참으로 안타깝기 그지없다. 모두 반성하고 다시 한번 새로이 교육의 현실을 되돌아 볼 시간이라고 생각한다. 과연 21세기 우리의 교단 모습은 어떤 모습으로 진행될지 참으로 의아스럽다.

제주도 수학여행 인솔 - 영일고등학교(2000년)

설국 태백산에 오르다(2003. 1. 29.)

오랜만에 편히 쉬어보는 일과가 연속되고 있다.
작년 한 해는 고3 담임을 맡았는지라 이번 겨울방학
엔 컴퓨터 연수도 받고 나름대로 한가로이 방학을
보내고 있다. 그래서 좀 더 의미 있는 시간을 보내
기 위해 고3 담임들과 1박 2일 일정으로 태백산
(1567m)을 다녀왔다. 간밤에 내린 눈으로 주변은 온
통 하얀 풍경화를 그리고 있었다. 나름대로 안전 운
행을 디짐하고 출발은 했지만 가는 곳곳마다 눈길로

미끄러지기 쉬운 위험들이 도사리고 있었다. 후포를 지날 즈음엔 앞서가는 봉고가 눈길에 급제동을 하여 차가 한 바퀴 돌아서는 사고도 목격했고 우리는 깜깜한 밤에야 목적지에 도착할 수 있었다. 민박집을 얻어 여장을 풀고 포항에서 준비해 온 과메기로 일잔을 나누며 지난 1년 동안을 회고해 보고 내일의 등반을 위하여 편안한 숙면을 취하였다. 드디어 날이 밝았다. 어제는 눈이 올 듯 말 듯 흐린 날씨에 또 눈이 내리면 어쩌나 내심 걱정을 했었는데 햇살이 영롱히 비치는 화창하고 포근한 아침을 맞았다. 각자 간식과 아이젠을 챙기고 유일사로 향했다. 이번 산행은 유일사에서 우리가 묵었던 단골로 내려오는 코스를 정한 것이다. 택시로 약 10분 정도를 달려 유일사 입구에 도착했다. 우리보다 먼저 산행을 시작하는 사람들이 보였다. 평일이어서인지 길이 복잡하지도 않고 그야말로 우린 행운아들이였다. 태백산은 백두대간 중 동해에서 내륙으로 들어가는 중심에 있는 산으로 정기가 서려 있는 곳으로 유명하다. 그래서 무속인들이 도를 취하기 위하여 많이 찾아오는 산이기도 하다. "나도 이 참에 태백산에서 도를 닦아 볼거나?" 산맥으로 말하면 태백산맥과 소백산맥이 갈라지는 기점에 위치하였고 낙동강의 발원지인 황지못이 있기도 하다. 과거 태백은 곳곳에 석탄이 많이 매장되어 한때는 경기가 활발한 도시이기도 하였지만 지금은 거의 폐광이 되어 광부들이 대부분 빠져나가 한적한 도시로 전락한 대표적 광산 도시이다. 태백산으로 올라서는 길은 무척 넓다. 그야말로 어릴 때부터 산을 무대로 활개 치며 놀았던 나로서는 너무도 완만한 길에 달려가고 싶은 충동을 느꼈다. 주변은 온통 흰 눈으로 덮여 있다. 포항에서 눈 구경하기가 어려운데 그야말로 원 없이 눈을 밟아 보고 있는 것이다. "쌓인 눈 위에 벌렁 누워 영화의 한 장면을 연출해 볼거나?" 모두들 평소 운동을 많이 했는지 잘도 걷는다. 어느새 산 중턱을 넘어섰고 드디어 길이 좁아지면서 경사가 급해지기 시작했다. 다소 숨이 차고 힘이 드는 순간이었다.

근데 어느 누구도 힘들다고 말을 하지 않는다. 주목단지에 펼쳐지는 설경에 우리는 감탄하며 가던 길을 한동안 멈췄다. 수백 년을 버티고 선 주목 위에 쌓인 눈이 햇살에 비춰 빛을 발하고 있었고 이 광경은 우리들의 넋을 빼앗아버렸다. 앞서 올라온 사람들이 흥분하고 있는 모습이 보였다. 그들은 대만에서 온 관광객들이었다. 눈 구경 하기 힘든 아열대 지역인 대만사람들이 이곳 영산인 태백산으로 단체관광을 온 것이다. 마침 바람도 없고 포근한 눈 내린 태백산을 오르며 보는 설경에 우리도 감탄하는데 이들은 오죽하겠는가. 설경을 배경 삼아 연신 카메라 셔터 누르기에 바쁘다. 드디어 정상이 보였다. 다른 신과

는 많이 다르게 태백산 정상은 그야말로 길게 늘어
진 능선과 넓은 대지였다. 하늘에 제사를 올리는 천
제단에 올라 우리의 역사를 만든 단군을 기리고 잠
시 숙연한 마음으로 도인이 되어 본다. 이제 내려가
는 길은 많이 미끄럽다고 한다. 모두들 아이젠을 하
고 숙박지인 단골로 내려섰다. 내려서는 길엔 단종
을 기리는 조그만 제실이 있었다. 어린 단종이 이곳
영월로 유배를 와 사약을 받고 죽었다는데 억울하게
죽은 어린 단종을 기리기 위해 이곳의 한 선비가 세
웠다 한다. 모두 산을 오르고 내리면서 우리의 슬픈
역사를 잠시 느끼고 역사의 진실은 세월이 흐르면
반드시 심판되어 짐을 알리는 경종으로 다가왔다.
단골로 내려서노라니 한창 얼음 축제가 열리고 있었
다. 눈을 이용하여 각종 동물과 성곽들을 조각으로
나타내었고 아이들은 즐겁게 구경을 하며 한쪽 논에
서는 예전 우리가 어렸을 때 얼음을 지쳤던 썰매를
타는 모습들이 아주 인상적이다. 전국에서 몰려오는
손님들을 위해 먹거리 행렬이 늘어서 있고 관광버스
들이 연신 주차장으로 들어서고 있다. 내려서 뒤돌
아 본 태백산 정상은 어느새 자취를 감추고 없어졌
다. 한 걸음 한 걸음 오르고 내려온 길. 우리의 삶도
인생도 마찬가지이리라. 태백의 정기를 가득 담아
돌아온 길. 가슴속에 담고 온 태백산의 기운은 일상
에서 잊혀 지지 않을 것 같다. 살아 천년 죽어 천년

이라는 주목과 함께 .....

태백산(2003년 영일고 3학년 담임)

야영 활동(2003. 5. 6.)

선생님들의 배웅을 받으며 야영지로 향한다. 차창 밖에는 모내기를 준비하는 농부들의 손길이 분주해 보이고 어느새 버스는 죽장을 지나 비포장 산길을 엉금엉금 기어간다. 피곤한지 찬구, 승리, 도우, 진수 는 고개를 이리저리 휘저으며 열심히 잠을 자고 있다. 수업시간에 깜짝 놀라게 해주려고 사진을 찍어 두었다. 야영지에 도착. 체육담당 김진억선생님의 절도 있는 지도로 순식간에 막사가 배정되고 첫 야영지에서의 생활이 시작되었다. 오후 일과로 극기 훈련이 실시 되고 군대에서 행하는 PT체조가 이어진다. 동대산 자락에서 메아리 되어 돌아오는 함성 소리, 모두들 열심히 잘도 받는다.

드디어 코스 이동. 등판오르기에서 8반의 모 여학생은 좋아하는 남학생 이름을 크게 외쳐 대고 그네 타고 건너기 코스에서는 여학생들이 연신 물에 빠진다. 오후 일과를 열심히 받았는지라 저녁 식사는 모두 맛있게 잘도 먹는다. 스스로 식기를 세척하고 제자리에 위치시키며 공동의 생활을 익힌다. 냄새가 나는 푸세식 전통 화장실에선 코를 틀어쥐고 그야말로 가스의 위력을 체험한다. 아론 밀러 미국 원어민 선생님은 화장실의 고통을 어떻게 이겨내는지 궁금하다. 저녁에 행해진 분임별 장기자랑 시간은 그야말로 환상의 특집 쇼 쇼~ 그 자체였다. 그 어느 텔레비전 쇼에서도 볼 수 없었던 멋진 장기자랑이 이어졌다. 열심히 캠코드로 찍었다. 각자 최선을 다해 노력하는 모습을 언젠가 다시 보여주려고 한 컷도 놓이고 싶지 않았다. 그중에서도 3반 아이들의 멋진 춤과 7반의 패션쇼, 그리고 사나이들이 민망할 정도로 여장을 하고 나온 6반. 특히 2반의 마술사 쇼는 잊지 못할 장면으로 기억된다. 다음날 산행. 어젯밤의 열정속에 힘들어 하지나 않을까 걱정을 하였건만 모두들 밝다. 사회수업시간에 배웠다고 하천의 형태를 거론하는가 하면 노래도 부르고 즐거이 12km구간을 다녀왔다. 김진억 선생님의 한 치의 흔들림 없는 진행으로 오후 일정이 돌아간다. 분임별 미니 올림픽이 이어지고 동대산 자락은 환호성과 열기로 어느새 땅거미가 밀려온다. 마지막 밤 모닥불 놀이가 이어졌다. 시 낭송과 함께 영일의 밤 모닥불이 점화되고 원을 그리며 빙글빙글 손을 잡고 돌아간다. 젊음 그리고 미래를 위한 설계, 우리들은 얼마나 아름다운 재산을 갖고 있는가 !

담임 고향을 묘사한 학급 깃발(1학년 4반)

야간자습 잠과의 전쟁(2003. 5. 24.)

점심을 먹은 나른한 토요일 오후
신나게 공을 차고 온몸은 땀범벅
타종 소리에 쏜살같이 달려보지만
어느새 선생님의 막대기가 더 먼저다.
천장엔 선풍기 돌아가고
책장 넘기는 소리
뚜벅 뚜벅 탁
선생님 발자국 소리
막대기 치는 소리
그 소리 아랑곳 않고 고개는 내려간다.

세월이 흘러 뒤돌아보면
그 어떤 음악보다도 더 그리울진데

지금 이 순간은 ....
마침 종 5분전
막대기 소리는 더 분주해지고
이리저리 복도를 왕복하건만
어느새 보따리 챙겨 들고 기회를 노리는 놈들

우루루 쾅

우루루 쾅
한차례 소낙비가 운동장을 빠져 나간다.

스승의 날 기념 행사(2003년)

-1교시 수업을 아시나요?

이른 아침 안강 들판을 가로질러 출근을 한다. 창문을 내리고 맑은 아침 공기를 들이킨다. 아직 이른 시간이라 차들도 별로 다니지를 않는다. 사계절의 변화를 만끽하며 이 길을 운전하며 다닌지도 벌써 10년이 되었다. 주변에서는 이제 포항으로 이사 나

올 때가 되지 않았냐고 이야기를 하지만 난 아직 그
럴 생각이 없다. 왜냐하면 집값 싸고 산업사회에 찌
들지 않은 자연이 살아 숨 쉬고 도회에서 느낄 수
없는 이웃의 정이 살아 있는 공간이기 때문이다. 아
이들 또한 남에게 크게 뒤지지 않고 건강하게 열심
히 공부를 하고 있고 친구들도 많이 사귄 듯하다.
어젠 태풍이 지나갔는지라 형산강엔 붉은 황토색 물
이 흐르고 있다. 시원스레 뚫린 유강터널을 지나자
대단위 아파트촌과 포항철강공단이 한눈에 들어온
다. 이제 1교시(07:00수업) 시작 10분전이다. 아이
들이 하나 둘 교실로 모여들고 주번의 분주한 손놀
림에 교실이 정리되어 가고 수업 준비로 모두들 분
주하다. 평소엔 타종 소리에 딱 맞게 나타나던 실장
용만이가 주번을 맡은 지라 요즘은 꽤 부지런히 등
교를 하여 청소를 하고 있다. 담임으로서 일찍 오지
않으면 요령 피우는 놈들이 있는 법. 오늘도 어김없
이 지각을 하는 녀석들이 생기고 있다. 대표적 지각
단골손님으로는 재완이와 단짝인 정환이 그리고 기
가 막히게 종소리와 함께 나타나는 병한. 병환이....
이름 들도 비슷비슷하다. 벌써 1학년 한 학기가 마
무리되어 간다. 그래도 열심히 하려고 애쓰는 눈빛
들이 있어 너무도 보기 좋다. 이 순간 좀 힘들고 고
되지만 티끌 모아 태산이라고 하듯 3년 뒤 분명 좋
은 결과가 있으리라 믿어 의심치 않는다. 난 오늘도

어김없이 유강터널을 빠져 나온다.
내일은 또 누가 지각을 ?

-1교시 수업시절(2003년)

환경가능론자가 되자(2003. 11.)

 어느덧 창밖엔 가을이 한층 무르익어 낙엽이 나 뒹굴고 있다. 이제 다음주 11월5일엔 역사적인 수능시험이 있는 날이다. 예나 지금이나 학벌지상주의가 앞선 탓에 우리의 공교육은 항상 위태롭게만 느껴져왔다. 오늘날 사회적 쟁점으로 사교육비 절감을 둘러싼 대안들로 수많은 제안들이 쏟아져 나오고 있시만 속 시원한 해답은 찾을 길이 없다. 아무튼 고3 수험생들은 이제 인생의 중요한 귀로에 서서 수많은 눈동자들의 기대감을 한몸에 안고 긴장감을 가지고 출발선으로 전진하고 있다. 정확히, 정말 정확히 문제를 해결하여 고득점을 받아야 될텐데.....이는 모든 수험생들과 학부모 그리고 선생님들의 소망일 것이다. 지금 영일고에는 이번 수능과 전혀 관계없이 벌써 예비대학생이 50여명에 이르고 있다. 이들은 대부분 학력지상주의 학벌지상주의를 내걸고 있는 사람들의 입에 오르내리고 있는 서울의 명문대를 비롯하여 수도권일대에 합격을 한 학생들이다.

작년에도 우리나라 최고의 학교라고 일컫는 S대를 비롯하여 명문대학에 합격생을 배출하였다. 고액 과외를 하지도 않고 남들이 알아주지도 않는 비 명문고이건만 이들은 지금 명문고 학생들이 죽도록 공부하여 얻어내는 결과를 이미 해결하여 희망찬 대학생활의 꿈을 실현하였다. 최선을 다하여 공부하였고 다양한 입시제도를 충분히 살려 계획된 교육활동과 준비를 통해 자신의 꿈을 실현한 것이다. 제도와 현실은 외면한 채 학연과 지연에 얽매여 살아가는 옛 사고방식에 젖어 자신보다 조금 못나면 멸시하고 조금 나은 집단에 속하면 모든 부귀영화를 누릴 것처럼 비아냥거리다가 초라한 굴레 속으로 떨어지면 사회제도를 탓하는 못난 사람들을 자주 볼 수 있다.

이제 우린 깨어나야 한다. 낡은 과거를 청산하고 꿈과 희망을 가지고 어떠한 환경속에 처해지더라도 서로의 환경을 존중할 줄 알고 새로운 도약의 길로 접어드는 지혜를 키워 나가야 되겠다. 기회주의자가 되는 것이 아니라 제도와 현실을 직시하며 살아가는 우리들의 모습이 진정 필요하다고 생각한다. 아마 그래서 평준화를 논하는 이들이 많은지도 모르겠다. 아무튼 대학에 합격한 학생들에게 다시 한번 축하를 하고 내 자신이 어떠한 집단에 속해 있더라도 긍지와 자부심을 가지고 꿋꿋하게 정진하는 환경가능론자들이 되어주기를 진정 기대해 본다.

자율학습 감독

자율학습 시작종이 울린다. 아직도 아이들은 화장실 앞과 정수기 앞에서 왁자지껄하고 교실 복도에서 장난하기에 바쁘다. 소리를 버럭 지른다. 아이들은 그제서야 교실로 후다닥 뛰어 들어간다.

교실 5칸. 나의 자율학습 감독 구역이다. 먼저 복도를 재빠르게 일렬로 지나면서 교실 창문을 막대기로 두드려 본다. 가는 곳은 금방 조용해지는데 돌아가노라면 저만치 시끌벅적, 아직도 자습의 분위기가 아니다. 다시 돌아서 가 본다 두 번을 돌아나닌 결과 겨우 이제 자습 분위기 정착. 이젠 거북이 걸음으로 창문을 넘어 보며 책도 읽으면서 느린 걸음으로 왔다 갔다 해 본다. 참 이해가 가질 않는다. 고등학생 때 야간자습을 해 본 경험이 없어서일까. 시간이 되면 의자에 앉아 공부하고 쉬는 시간이 되면 자신의 볼일을 보고.......왜 안 되는 것일까? 감독 선생님이 있건 없건 간에 시간에 익숙해지는 우리의 생활이 참 아쉽다. 저만치 복도를 걸어올 즈음 3반에서 시끄러워 보폭을 넓혀 빠른 걸음을 재촉해 본다. 가만히 앉아 공부해야 할 OO이가 일어서서 옆 친구와 장난을 친다. 물론 따분하여 친구와 장난삼아 시간을 할애할 수는 있다고 본다. 하지만 다른 친구들을 생각해 보았을까? 민주사회에서 가장 중요한 것은 책임의식이라고 본다. 법과 규칙을 잘 준수하며 행동하는 집단이 가장 발전적인 집단이 아닐런지.... 타의에 의해서 강압에 못 이겨 행동하는 그런 집단이 과연 앞서가는 사회가 될 수는 없으리라. 자습시간 끝나기 5분전. 갑자기 분위기가 묘해진다. 가만히 앉아 공부하던 OO이도 교실 뒤 사물함 주변에서 보따리 챙기기 바쁘다. 현관문이 가장 가까운 10반 아이들은 신발장을 왔다 갔다 하며 벌써 교실 문을 나설 준비를 하는 학생들도 있다. 영화의 한 장면으로 옛 6.25전쟁때 중공군이 압록강을 넘어오던 모습이 상기된다. 아무리 교실 복도를 다니며 소리를 질러도 보이지 않는 반은 통제불능이다. 참으로 이해가 안 간다. 남은 시간이 5분이건 10분이건 종 치기 전까지 우리는 최선을 다해야 되지 않을까? 자습 감독하면서 가장 신경 쓰이는 시간이다. 몽둥이로 함패 버려? 많은 갈등이 일지만 이내 내자신도 최후의 5분 마력속으로 빠져 들고 만다.

한 달에 한 두번 하는 자습시간 감독. 참으로 힘든 시간이다. 제 스스로 공부할 수 있는 진짜 자율학습은 언제나 오려나? 다음 자습 감독 시엔 최후의 5분일지라도 어수선한 분위기를 용납하지 않으리라....오징어 말리기 및 모든 물리적인 동원이 있을지어다. 애들아 제발 시간 준수하고 책임 있는 행동이 있기를 바란다.

전교생 아침 조회 모습(2004년)

한 학년 마무리(2004. 2.)

텅빈 교실~

책상 줄도 엉망이고 누군가가 침입(?)하여 책, 걸상을 몇 개 옆반으로 가지고 가고 없다. 2학년 진급을 하면서 아니면 3학년들이 자습을 하러 나오면서 가져갔으리라. 며칠 전 종업식 하면서 열심히 정리해 두었는데……어떤 놈인지 몹시 불쾌하다. 범인을 잡아 봐? 아직 신입생이 없는 학교는 일년중 연말이다. 3월 입학과 함께 1학년 교실도 다시 북적될 것이고 정리 정돈 되어질 것이다. 교직생활 15년, 그리 짧은 기간은 아니다. 아직 앞으로 수 많은 제자들을 만나게 되겠지만 그동안 단 한 번도 비담임을 하질 않았다. 다소 바쁘고 힘든 나날이 있겠지만 담임을 하면서 더 많은 보람을 가질 수 있었기 때문이다. 새로운 학년을 맞이하면서 모두들 각오 또한 새로울 것이다. 학생들뿐만 아니라 선생님들도 마찬가지이다. 책상 서랍 속에 가득 채워져 있는 각종 자료들을 정리하면서 지난 1년 동안 반 아이들과 함께한 시간들이 뇌리를 스쳐 간다. 다소 아쉬움도 있지만 그래도 흐뭇하다. 모두들 건강하게 열심히 최선을 다하였기 때문이다. 이제 또 다른 학생들과의 만남을 생각하며 기대감을 가져 본다. 일년 동안 다시 내 책상을 가득 채워 줄 아름다운 추억들을 생각하며 미소 지어 본다. 신입생을 맞는 기분은 싱그럽다. 이런 기분으로 다시 일년을 보내고 싶다. 입학식날 맞을 반 아이들을 미리 그려본다. 난 올해도 어김없이 우리 반 급훈을 마음속으로 새긴다.

'인생은 흘러가는 것이 아니라 채워지는 것이다.'라고.

문경새재걷기- KBS드라마 촬영장에서

희망이 보인다(2004. 5.)

안동학생야영장으로 출발~~푸르름이 더해가는 주변 자연경관을 바라보며 버스에 타고 있노라니 마음이 가볍고 일상을 탈출하는 기분이 들기도 했다. 사실은 학교교육이 연장이기늘....야영장은 폐교를 이용하여 만들어 놓았기에 그야말로 자연 그대로였다. 운동장 둘레에는 녹음이 짙은 나무들이 둘러 서 있고 화창한 날씨 속에 야영하기엔 그야말로 안성맞춤이었다. 간단한 입소식을 마치고 오후부터 꽉 짜여진 일정으로 모두들 분주히 움직였다. 모험심을 기르고 체력단련을 위한 장애물극복 훈련엔 모두들 선생님들의 지시에 잘 따라주어 별 어려움 없이 무사히 마칠 수 있었다. 특히 훈련에 앞서 행한 일명 PT체조를 하면서 이리저리 구르고 목청껏 소리 지르며 반복된 동작을 받는 모습들이 너무도 인상적이었다. 특히 "마지막 반복구호는 힘차게 붙이지 않는다." 그런데 마지막 반복구호를 붙이는 사람이 꼭 한 두 명 나타난다. 그러면 다시 횟수는 두배로 껑충~내가 미운사람들도 있었겠지? 하지만 어려움도, 힘이 든 어떤일이라도 즐거운 마음으로 행한다면 땀과 보람으로 분명 승화되리라 믿는다. 첫날 저녁 프로그램에서 끼를 유감없이 발휘한 우혁이의 노래 솜씨는 모든 여학생들을 열광의 도가니속으로 몰았고 선생님들도 감탄을 하였다. 분임별 구호, 분임가를 듣고 있노라니 우리 4반 구호와 반가가 제일이었다. 자칭 얼짱이라고 하는 준호, 그리고 분임장 광우의 리더십이 무척 돋보인 이번 야영이었다. 둘째 날 오전 국학진흥원에 들러 이황, 이이, 이익, 정약용선생의 사상을 둘러보며 우리 민족의 전통사상을 다시 한

번 깨우칠 수 있었고 어려운 난세에 세상을 살아가야 했던 이황선생의 학문의 열정과 후학도들을 위한 집념에 존경심이 더해졌다. 오후엔 아주 유익한 프로그램들로 채워졌다. 학교생활을 하면서 생소한 모형 암벽타기와 11m에서 내려오는 레펠, 그리고 스포츠 댄스, 풍선으로 각종 모형 만들기는 참 훌륭한 내용이었다. 특히 레펠을 멋지게 하는 여학생들의 모습 속에 자신감을 얻은 노태종선생님의 시범은 정말로 인상적이었다. 저녁 분임별 장기자랑은 야영장 측에서도 놀랄 정도로 알차고 화려하였다. 특히 4반을 대표하여 노래를 부른 경인선, 최원혁, 이재근의 화음은 유명 가수 뺨칠 정도였다. 5반의 의상 쇼와 에이블의 현란한 춤솜씨에 1학년 전체의 함성은 더해만 갔고 모닥불놀이를 통한 아쉬움과 이틀의 짧은 일정은 어느새 저물어 갔다. 촛불의식에선 잠시 숙연해지며 부모님, 친지 그리고 친구들의 얼굴을 떠올리노라니 그리움과 감사함이 느껴졌다. 고등학교 1학년에서의 야영. 입학 후 서먹한 친구들과 터놓고 이야기하고, 열악한 환경 속에 잠도 자며 함께 동고동락했던 짧은 시간들이 인생에 있어서 정말 소중한 추억으로 남아 있었으면 좋겠다. 특히 이번 야영장에서 보여 준 우리 4반 학생들의 행동은 정말 교사로서 흐뭇함을 느낀 시간이었다. 남들보다 더 봉사하였던 김재형을 비롯한 식탁주 당번들, 취침시간에

즉시 소등하며 일사분란하게 움직이는 모습들....예전 어떤 야영활동에서도 볼 수 없었던 정말 모범적인 활동을 하였다. 결국 우리 4분임이 우수 분임으로 수상까지 하질 않았는가. 다른 분임들도 마찬가지 우리 영일은 이제 성큼 일보 전진하였음을 이번 야영을 인솔한 모든 선생님들이 이구동성으로 이야기 하였다. 불미스러운 행동들이 사라지고 규칙과 질서 속에 즐거움을 함께 가지려 했던 이번 야영이었다. 희망이 보인다. 결코 허상이 아닌 현실속에서 확실하게 보이고 있는 것이다. 이번 야영이 1학년 모두에게 아름답고 소중한 추억의 한페이지로 남기를 바란다.

문경테마여행(2004. 7. 17.)

문경~

내가 태어나고 10대시절을 보냈던 고장이다. 남한에서 백두대간 중심부에 자리 하고 있는 문경은 조선시대에 영남인들이 한양을 오르내리는 가장 최 단거리 길목에 자리 잡은 교통로이자 군사적 요충지였다. 산세가 험하여 고속도로가 지나지 못해 산업화 시대엔 이촌향도가 줄을 이었고 그나마 폐광마저 잇달아 지역경제가 날로 기울었으나 오히려 오늘날엔 깨끗한 환경과 아름다운 자연경관이 한데 어우러져 옛 선현들의 기운을 느끼고 문화탐방 역사탐방을 통하여 새로운 부가가치를 더해가는 아름다운 고장으로 거듭나고 있다.

수업시간 5분드라마(?)를 통하여 수없이 이야기했던 문경. 그동안 수업시간마다 문경에 대한 궁금증을 가지고 한번쯤 가보고 싶어 했던 학생들이 얼마나 많았으랴. 시간을 내어 반 아이들을 데리고 함께 가고 싶었던 곳. 내 고향 문경이었다. 하지만 마음만큼 실천은 잘 따르지를 못했다. 무작정 나서면 될 것 같았지만 35명이 숙식을 하면서 보낸다는 건 상당히 무리가 따랐다. 올해엔 꼭 우리 반과 함께 테마여행을 하리라 마음을 굳게 먹고 35명 전원이 침여한 가운데 실행에 옮길 수 있었다.

언제나 복병이 날씨인데 이게 웬일~ 장마전선이 중부지방에 정체되어 충청, 경기일대가 호우경보발령이다. 비록 영남이지만 중부지방과 경계하여 점이적 성격을 지닌 문경인지라 여간 걱정이 아니다. 그렇지만 우린 일정대로 추진하여 17일 이른 새벽 학교 교문에서 만나 전원 힘차게 출발하였다. 일상을 탈출하는 기분. 이른 아침 등교하여 밤늦도록 자습시간에 얽매여 생활하는 학교생활을 벗어 나 친구들과 함께 관광버스를 타고 멀리 여행을 해 본다는 그 자체만으로도 즐거움이 아닐까? 나만의 생각일까? 도회의 회색빛을 벗어나 푸른 녹음이 더 한 도로를 따라 달리는 버스속엔 활기가 넘친다. 차창 밖을 보며 내심 걱정이 앞선다. 아니나 다를까 북부지역중심지인 안동시내를 통과할 즈음부터 비가 내리기 시작한다. 아이들도 얼굴 표정이 걱정과 아쉬움으로 가득하다. 비경을 자랑하는 쌍용계곡의 물놀이는 어찌한다? 날짜를 좀 잘 잡을 걸..... 아쉽다. 하지만 문경 영강(嶺江)이 휘돌아 흐르는 진남교반에 다다르니 비가 잠시 그쳤다.

문경새재를 구경하고 나올때까지 비는 우리편이었다. 조선 숙종때 탄생한 문경관문, 예나 지금이나 공통점이라할 수 있는 출세. 금의환향을 꿈꾸며 조선

시대 젊은이들이 넘나 들었던 문경새재. 이 길을 걸으며 우리 반 학생들도 훗날 꼭 그 꿈을 이룰 수 있기를 기원해 본다. 아무튼 꿈과 희망이 있는 길, 그리고 삼국, 고려시대, 조선을 거치면서 군사적 요지가 되었던 문경새재. 최근 왕건 촬영세트장으로 더 유명해진 세트장을 돌아보고 내려오노라니 빗줄기가 금방 굵어졌다. 이른 아침 출발하면서 인선이 어머니께서 정성을 다해 삶아 주신 50여명 분량인 감자와 옥수수. 아마도 밤새워 그 정성을 쏟아내신 모양이다. 그 정성 덕분에 우리가 하루 묵을 나의 모교 청암중학교에 무사히 도착하였다. 문경새재에서 버스로 약 30분 거리에 있는 농암면에 소재하고 있는 학교이다. 과거엔 운동장에 학생들로 발 디딜 틈이 없었는데 지금은 한 학년이 10여명에 불과한 소규모 학교가 되었다. 우리가 하루 묵을 장소는 빈 교실이었다. 모교 출신인 옛 제자가 또 다른 제자들을 이끌고 온다고 하니 옛 중학교 때 사회과목을 담당하셨던 선생님(이동열선생님)께서 이젠 교장선생님이 되시어 예나 지금이나 제자 사랑하시는 마음 변함없이 따뜻한 사랑과 배려를 아끼지 않으셨다.

드디어 짐을 풀고 정리하며 비록 쌍용계곡은 못 갔지만 아이들을 데리고 냇가로 나갔다. 물이 불어 황토물이 지나간 자리인지라 맑고 투명한 고향이 물을 보이지 못해 아쉬웠다. 워낙 물살이 세찬지라 물 가운데엔 들어가지 못하고 물가에서 누군가의 시작으로 물싸움이 벌어졌다. 옛 생각이 났다. "에라 나도 함 해 봐?" 모두가 물에 온몸은 젖었고 특히 선용이의 섹시한(?) 몸매는 니그로인들이 보면 아마 감탄을 하였을 것이다. 대건인 안경이 사라져 버렸고 그리고 여기저기서 실내화가 떠 내려가고...비가 오지 않았다면 참 좋았을텐데.....아쉬웠지만 물싸움을 하고 나니 무거웠던 마음이 싹 가시었다.

조별로 저녁식단이 이루어졌다. 모두 삼겹살을 구워 먹었다. 학교에서 급식소를 배려해 준 덕분에 조별로 편히 앉아 맛있게 즐거운 식사가 이루어질 수 있었다. 저녁 시간 일정엔 축구 경기가 있었는데 운동장엔 그야말로 물이 가득하다. 도저히 엄두를 내지 못했다. 야간경기를 할 수 있는 전기시설까지 되어 있건만 아쉬웠다. 하지만 이 생각은 나의 착각이었다. 고향 친구들이 언제 왔는지 짐차를 이용하여 모래를 퍼 나르고 포크레인을 동원하여 평탄 작업을 하고 .....정말 눈물이(?) 날 정도였다. 자신들이 운동하는 것도 중요하지만 포항에서 제자들을 데리고 온 친구와 학생들에게 야간 축구경기의 추억을 간직하게 해주고 싶다는 말에 난 정말 감사하고 뭐라 말할 수가 없었다. 우리 반 아이들은 이 마음들을 알고 축구를 했는지 참 궁금하다.

질서 있게 잘 생활하는 우리 반의 모습들을 보고 고향 친구와 선배들은 칭찬을 아끼지 않았다. 나 또한 우리 반 아이들의 행동 하나하나에 정말 만족하고 있었던 터라 가식적인 말이 아님을 느낄 수 있었고 이번 문경여행을 통하여 정말 우리 반 학생 모두에겐 소중한 고교생활의 작은 하나의 추억이 되었으면 하는 바램이다. '20년뒤의 내 모습은 과연 어떤 모습일까?' 주제 발표를 통하여 자신과의 약속을 새기는 시간이 있었지만 일정이 차질을 빚어 숙제로 대신하고 학교에서 시간을 마련해 보기로 하였다. 다음 날 문경에서 하지 못했던 물놀이를 비가 적게 온 우리 지역인 죽장으로 장소를 옮겨 실시하기로 하였다.

죽장계곡에는 전날 의성으로 단합대회를 다녀온 7반 학생들이 물놀이를 즐기고 있었고 죽장 휴게소 아래 영천 방향 다리 밑에는 발 디딜 틈도 없이 물놀이객들이 자리를 차지하고 있었다. 여름의 묘미란 바로 이런 게 아닌가? 맑은 자연의 소리. 찌들어 가는 세상 삶 속에 맑은 자연의 소리를 듣고 즐기노라면 새로운 일상의 활로를 찾을 수 있다고 생각한다. 단체 생활속에서 모든 사람들이 한마음 한뜻이 될 수는 없는 법. 하지만 자신의 목소리 보다는 남을 배려하고 참여해 주는 몫이 있을 때 바로 단체가 형섣되고 집단이 이루어질 수 있다고 본다.

이번 우리 반 여행을 통하여 정말 가벼운 마음으로
처음과 끝을 이루었다. 장마로 인하여 다소 뒤죽박
죽이 된 여행이었지만 그래도 어려운 여건 속에 마
음을 모아준 따뜻한 반 아이들의 마음에 감사하고
앞날에 행운이 늘 함께하기를 기원해 본다.
4반 파이팅!

문경 가은 석탄박물관 탐방

2학년 4반 아이들 (2007년)

 희망을 심어 주는 새봄이 다가오고 있다. 새 학년 새 학기를 맞이하노라면 학생이나 선생님들은 누구나 기대감으로 가득 차 있다. 올해는 어떤 학생들을 만나게 될까? 아니면 어떤 담임선생님을 만나게 될까? 그래서 시작은 언제나 힘차고 마음 설레게 하는가 보다. 20여년을 담임하면서 많은 학생들을 만나고 추억을 만들었지만 유별나게 2007년에 담임을 한 2학년 4반 아이들은 나에게 많은 생각을 하게 해 주고 교사의 보람을 더욱 만끽 하게 해 준 시간들이었다.

 남녀 혼반으로 구성된 인문계 고등학교 2학년 교실은 어느 학교에서나 볼 수 있는 고3으로 가는 길목인 만큼 이른 아침 등교하여 밤늦은 시간까지 자습을 하는 등 몸은 지칠 대로 지쳐 있는 분위기다. 그래서 난 매일 반복된 일상을 탈출하고자 테마여행 카드를 꺼내 들었다. 1박 2일 관광버스를 대여하여야 하기에 매달 1인당 일정 금액을 적립하고 한 학기의 지루함을 기대감으로 바꾸었다. 대 성공적이었다. 공부뿐 아니라 교내 체육대회에서도 열심히 응원전을 펼치는가 하면 모든 일에 최선을 다하는 적극성을 보여 주었다.

 남녀 혼반임에도 불구하고 실장은 선거에서 당선된 진주가 모든 일에 솔선수범하고 성실히 역할을 잘 수행하여 언제나 기특하고 마음이 놓였다. 여름테마 여행은 역시 문경으로 정했다. 문경은 어린 시절을 보냈던 곳으로 눈 감고도 모든 지역을 훤히 알 수 있으며 폐교를 이용하여 여름밤을 지새울 수 있는 낭만이 있는 곳이다. 출발~ 아이들 얼굴은 너무도 밝았다. 교실에서 볼 수 없었던 얼굴들이다. 손뼉을 치며 노래 부르고 재잘대며 가는 사이 어느새 목적지에 도착. 진남교 고모산성에 올라 옛 신라시대의 잔재를 느끼고 고려국이 등장할 무렵 호령하였던 왕건과 견훤의 쟁탈전을 상기하며 남학생들은 금방 산성에 올라가 숨을 돌리고 있다. 우리가 숙소로 정한 모교는 폐교가 되어 버려 황량했다. 이촌향도로 인해 우리의 농촌은 슬픈 얼굴이다. 하지만 세월이 지나도 운동장 모퉁이에 선 미루나무는 여전히 우뚝 서 그늘을 만들어 주고 있다. 간단히 청소를 하고 냇가로 향해 물놀이를 하니 아이들의 탄성은 절로.... 얼마나 신나게 물놀이를 했는지 키가 제일 큰 유라는 안경도 잃어버리고, 즐거워하는 아이들을 열심히 카메라에 담았다. 저녁은 운동장에서 조별로 음식을 만들어 먹기로 했다. 메뉴는 문경 삼겹살 파티다. 한바탕 물놀이를 해서인지 밥은 꿀맛이다. 재잘대며 이야기하는 사이 밤하늘의 별들은 총총히 나타나고 딱딱한 교실을 벗어나 모처럼 만끽하는 여유로운 밤이다. 남학생들은 축구를 즐기고 여학생들은 벤치에 앉아 무슨 이야기를 그리 심각하게 하는지..."여고생들의 관심사는 무얼까?" 선뜻 끼어들기가... 그래서 모른 척...다음 날 경북북부선의 기차는 사라지고 녹슨 철로만이 두 줄로 길게 늘어져 있는 것을 개발하여 만든 철로 자전거를 탔다. 후덥지근한 철로의 기온이 느껴졌지만 신나게 발로 밟아 달리노라니 시원한 바람이 불어왔다. 앞서가는 자전거를 들이 받아도 보고 노래 부르고 명랑한 수정인 뭐가 그리 신나는지 연신 이야기를 토해낸다. 공부 벌레인 정남이도 친구들과 함께 밝게 웃고 떠든다.

 짧은 1박 2일간의 여행이었지만 아이들은 마냥 좋은가 보다. 앞으로 담임을 하는 이상 지속적인 문경 테마여행을 통하여 즐거움을 주고 싶은 마음이 절로 생긴다. 문경테마여행은 서막에 불과하였다. 2학기가 되니 이젠 아이들이 먼저 겨울방학 여행을 꺼낸다. 나두 흔쾌히 받아 들었나. 잠시 시간을 내 계획을

짜 보았다. 장소는 아늑한 겨울 바다가 펼쳐지는 거
제도와 외도로 정했다. 이곳은 지난해 담임을 맡았
던 학생들과 다녀온 장소인데 볼거리가 참 많은 곳
으로 기억된다. 2학기는 1학기보다 더 빠른 속도로
지나는 기분이다. 고3 학생들은 수능을 치고 여유로
움을 부리고 2학년 교실은 반대로 분주히 움직인다.
저녁 자습 시간 아이들의 표정은 더욱 진지하고 감
히 교실 문을 들어서기가 미안할 정도로 조용하다.
그만큼 학업에 열의가 있으며 미래에 대한 꿈을 실
현 하고자 하는 정체감을 가진 구성원들로 이루어져
있음에 흐뭇함을 가지게 하는 학급이다. 한 학년을
마무리 하는 겨울에 접어들어 우린 겨울 여행을 떠
나기 위해 기대감으로 계획을 추진하였다. 이때 학
급에서는 생각지도 못했던 제안이 나왔다. 태안반도
로 가자는 것이다. 유조선 기름유출로 인해 서해 태
안반도 주민들이 시름에 잠겨 어려움을 겪고 있음에
전국적으로 확산 되고 있는 기름제거작업 봉사활동
에 우리도 참가하자는 것이다. 담임인 나로서는 아
이들의 제안에 가슴이 뭉클했다. 고마웠다. 마냥 어
리게만 생각하고 놀러 갈 궁리만 하는 줄 알았는
데... 이젠 학급여행이 아니라 모든 마음을 태안으로
쏟았다. 태안군청에 전화하여 작업일자와 작업구역

을 배정 받고 그동안 모아 온 돈으로 관광버스를 대절 하여 겨울의 매서운 새벽 바람을 가르며 태안으로 향했다. 도착한 태안 학암포 해수욕장의 해안가 바위엔 기름으로 범벅이 되어 검게 물들어 있었으며 주민들은 생업을 전폐하고 황량함이 이는 분위기였다. 오전8시에 도착하여 오후4시까지 해안에서 기름을 닦았다. 자연을 터전 삼아 살아가는 태안 주민들은 얼마나 답답할까? 어린 학생들이 따스한 마음을 모아 시름을 닦아줌으로써 빠른 시일내에 원상회복이 될 것이라 확신한다. 대한민국 국민은 정말 대단하다고 느낀 하루였다. 전국방방곡곡에서 자신의 일을 마다하고 달려와 기름을 제거하는 모습 속에 우리 반 아이들도 많은 것을 느끼고 배운 시간이었다고 믿는다. 돌아오는 차 안에서 잠에 곯아 떨어 져 있는 얼굴들은 너무도 아름다운 천사들이었다. 교사가 된 것이 너무도 기뻤다. 이렇게 착한 학생들과 함께 평생을 생활할 수 있는 지금. 억만장자도 부럽지 않다.

서해 기름유출 제거 봉사활동 참가

늘 활기찬 2학년 4반 교실

하은이의 책가방 실종 사건(2009. 3.)

  이른 아침 등교 시간에 맞춰 학교에 오느라 아침부터 달리기 시합을 하는 아이들을 종종 볼 수 있다. 새 학년을 맞이하여 혹시나 게으른 생각으로 학교생활에 임하지나 않을까하는 노파심으로 중앙계단에 서서 지각생들을 붙잡아 복도에 세워두고 훈계를 한지 한 달이 다 되었다. 어느새 지각생은 급격하게 줄고 이른 아침 등교하여 자신이 맡은 청소구역을 쓸고 닦고 대부분 부지런한 모습들이다.

  인문계고등학교 학생들은 사실 대학입시를 위해 학교에서, 그리고 하교 후에도 나름대로 공부에 몰두하다 보니 잠을 충분히 잘 수 없는 게 현실이다. 꿀맛 같은 단잠에 빠져 이른 아침 일어나 등교 하려하니 얼마나 힘이 들겠는가. 이 점 충분히 이해는 가지만 지금 부지런히 학교생활에 임하지 않으면 나중 사회생활도 마찬가지 아니겠는가. 그래서 오늘도 이른 아침 출근하여 정해진 시간에 오지 않는 아이들을 반갑게(?) 맞이하기 위해 중앙계단에 서 있는 것이다. 오늘은 또 누가 나에게 잔소리를 듣게 될 것인가? 아무도 없었으면 좋으련만....... 하지만 나의 희망은 무너지고 그것도 우리 반 착한 하은이가 지각을.... ㅋ 그래서 손들고 복도에 세워 놓고 어제 한 방송을 또 재방송하며 훈계를 시작할 수밖에 없다.

대 여섯 명이 잔소리 아닌 잔소리를 듣고 교실로 들어가고 종소리와 함께 아침 독서 시간을 맞이한다. 근데 교실로 들어 간 하은이가 독서는 하지 않고 다시 나오더니 "선생님 제 가방 어디 있나요?"라고 묻는다. "응? 가방이라니...."라고 반문하자 "제가 들고 온 가방이 없어요."라는 것이다. 나도 잠시 헷갈린다. 아이들이 늦게 오는 데만 신경을 곤두세우고 있었지 다른 곳엔 별 관심이 없었다. 손들고 있었으니 당연히 가방을 멘 아이도 있지만 벗어 놓고 할 수도 있으니 친구들이 가져갔으려니 생각을 하고 다시 교실로 돌려 보냈다. 근데 가방을 가져간 친구들이 없었다. 이상했다. 상식적으로 학생이라면 분명 등교할 때 교복은 입었고 가방은 메고 올 것이니 학교에 없다면 어디에 있다는 말인가? 혹시나 싶어 집에 한번 알아 보라고 했다. 근데 웬일.....ㅋ 아침에 늦잠을 자는 바람에 중앙계단을 지키고 있는 담임의 무서운 얼굴만 생각하고 교복만 입고 가방은 메지도 않은 채 급히 헐레벌떡 달려 온 것이었다. 세상에....아무리 급해도 그렇지 군인이 전쟁터에 가는데 총도 들고 오지 않은 거나 마찬가지 아닌가. 담임이 얼마나 무서웠길래....한편으론 웃음도 나오고 한편으론 순수하고 착한 하은이를 통해서 중앙계단에서 철수할까? 말까? 지금 난 고민 중이다.

제주도 성산일출봉(2009. 5.)

나눔, 배려를 통한 삶을 살아가자.

우리가 살아가는 사회는 산업사회에서 탈공업화 사회로 전환하고 있다. 그동안 우리나라는 급격한 경제성장과 함께 APEC을 주도하는 국가로 발돋움하였다. 교실의 모습도 과거와는 확연히 달라졌으며 학생들의 언어 전달 모습과 방법도 무척 다양화되어 세대 간 격차를 더욱 실감하게 된다. 전자기기 및 미디어를 통한 상호삭봉이 이루어지는 현상이 요즘의 세태라고 볼 수 있으며 공간적 제약을 받지 않고 어디에 있든 의사소통이 자유로이 전달되고 있다. 과거엔 꿈도 꿀 수 없었던 일들이다. 하지만 이에 맞서 요즘 대학과 기업체들의 움직임은 새로운 변화가 일어나고 있다. 대학입시에서는 사랑봉사창의전형이 라는 수시전형이 등장하였는가 하면 대기업에서는 신입사원을 공개 채용하는 과정에서 인성면접을 다각도로 적용을 하고 있다. 아무리 두뇌가 발달하고 우수한 기계가 판을 치는 세상일지라도 가장 근본인 인성이 바로 이루어지지 못한 개체는 상호작용을 통해 살아가는 현실사회에서 도태될 수밖에 없는 것이다. 학교에서 공부를 잘못한다고 해서 그 사람이 사회에 나가서도 남보다 뒤진 생활을 하는 것은 결코 아니다. 올바른 인성은 어디를 가도 인정받고 살아갈 수 있는 기반이 되는 소중한 자산이다. 남을 배려하고 따스한 마음을 나눌 수 있는 사람이 되자. 공부도 중요하지만 성실한 모습, 정직한 모습, 함께 어울릴 수 있는 사람다움을 가질 수 있도록 노력하자. 교실을 벗어나 자매단체를 방문하여 실시하는 봉사활동은 훗날 분명 소중한 삶의 밑거름이 되리라 확신한다. 우리 영일고학생들은 마음이 따스하고 착한 학생들이라고 자부한다. 어려운 일을 맡겨도 내색하지 않고 묵묵히 자신의 일에 몰두하며 맡은 바 소임을 다해 내는 모습들.....돌아 와서 자신의 한 일에 대한 내용을 글로 적고 다시 한번 더 되돌아보고 책을 만들어 친구들의 생각을 공유할 수 있음은 또 다른 경험을 만드는 것이라 생각한다. 각자 다른 장소에서 봉사활동을 실시하였기에 느낌도 다르리라 여겨진다. 포항시는 2013년도를 맞아 인성의 요람도시로 선정되어 대통령표창을 받았다. 이에 우리 학교는 포항시에서 선정한 인성교육시범학교로 지정되어 현재 하고 있는 활동들이 더욱 주목을 받게 되었다. 본교의 건학 이념은 '修己爲人'이다. 인성함양을 통한 학력향상이라는 슬로건아래 우리학교는 자매단체를 꾸준히 지속적으로 방문하여 봉사활동을 실천하고 있다. 남을 돕고 배려하는 마음을 실천하기란 쉽지만은 않은 일이다. 새로운 학년을 맞아 처음 실시한 봉사활동이었지만 모두 보람 있게 잘하고 돌아와 주어 고맙게 생각한다. '시작이 반이다.' 라는 말이 있다. 이번 봉사활동을 시작으로 더욱 알차고 보람을 느낄 수 있는 시간들이 되었으면 한다.

2학년 2반 파이팅!

북경 수학여행(2011. 5.)

영일고 3학년 담임 일동(2012년)

2013 한 해를 마무리 하면서

밤새 그렇게 창문을 세차게 흔들던 바람도 아침을 맞이하면서 잠잠해졌다. 늦가을의 정취가 깔려 있던 은행나무 가로수 길엔 바람에 떨어져 나간 낙엽들이 여기저기 쌓여 널려져 있다. 나뭇가지에는 앙상한 가지만이 남아 이젠 가을도 저만치 뒤안길로 숨어 버리고 한 해를 마감하는 겨울로 접어들었음을 느끼게 한다. 한 해를 시작하는 시간이 엊그제인 듯한데 벌써 또 한 해를 마무리하는 시간이 되었다. 참 세월 빠르다. 누구나 새로운 마음가짐으로 계획을 세우고 실천하기 위해 많은 노력을 해 왔을 것이다.

하지만 시간의 의미란 모두에게 다를 것이다. 되돌아보는 시간이 각자 어떻게 살아왔느냐에 따라서 보람이 있을 수 있을 것이고 어떤 사람은 아쉬움으로 가득 차 있을 것이다. 여러분 자신은 어떠한가 한번 깊이 생각해 볼까요? 여러분과 나와의 만남, 첫 만남으로 인해 서로 조금이라도 알려고 노력해 왔고 담임과 학 반 구성원으로서 열심히 달려온 시간들이었다고 생각한다. 이제 우리는 한 해를 마무리하면서 그동안 쌓아 온 추억들을 가슴속에 정리하며 새로운 시간을 위해 또 계획을 세울 때가 되었다. 그동안 봉사활동을 하면서 느낀 점들을 고이 간직하고 훗날 이를 실천할 수 있는 내 자신이 되어야 할 것이다. 노인요양병원을 방문하면서 어르신에 대한 공경심을 일깨우고 나도 언젠가는 늙고 병든 노인이 될 수 있음을 인지하고 더욱 열심히 공부하여 보람 있는 삶을 살아야겠다는 생각을 하였으리라…..그리고 호국원을 방문하고 '국가란 무엇인가?'를 잠시라도 생각해 보았을 것이고 양동마을을 찾아 우리 문화재의 소중함도 느꼈으리라….이와 같이 많은 경험을 통하여 분명 우리 영일인들은 올바른 인성을 함양하고 자신의 꿈을 이루기 위해 노력하는 디딤돌이 만들어졌으리라 믿는다. 그 동안 봉사활동을 통하여 본교의 건학이념인 '修己爲人'을 가슴속 깊이 새기고 이를 꼭 실천하며 살아가는 여러분이 되어 주기를

기대한다. 봉사활동 뿐만 아니라 수학여행, 체육대
회, 문경테마여행, 영일예술제 대상 수상, 사랑의 손
목 팔찌 행사 참여 등 각종 행사에 적극 참여해 주
고 행사를 빛내 준 2반 학생들 모두가 자랑스럽고
예쁘다. 이제 고3이 된다. 새롭게 맞이하게 될 한 해
는 너무도 벅차고 바쁜 한 해가 되리라. 힘차고 씩
씩하게 고 3생활을 맞이하길 기원한다.

여름방학 문경새재 걷기(2013. 7.)

더욱 전통적인 양동마을을 기대하며

선선한 가을바람이 불어오는 양동마을 주차장에는
선국에서 찾아 온 많은 관광버스들이 줄지어 들어

서 있다. 이젠 제법 많은 사람들에게 알려 져 쉽게 볼 수 있는 광경들이다. 마을 전시관을 지나 양동마을로 접어들면 웬지 전통마을의 묘미를 느낄 수 없는 모습 하나가 눈을 거슬리게 한다. 그것은 바로 일반 가정에서 운영하는 매점이다. 양동마을의 전통적인 모습과는 완전 대조적인 모습이다. 옛 새마을 운동으로 지은 집인 듯하다. 낡은 슬레이트지붕과 담배를 파는 광고 간판, 커피판매 안내, 쓰레기통이 양동마을에 들어서면 가장 먼저 맞닥뜨려진다. 개인 소유물 이어서일까? 양동마을은 세계문화유산에 등재된 문화재이다. 그런데 마을 입구에는 아직도 옛 구멍가게가 있고 심지어 마을 가정 곳곳에선 관광객들을 대상으로 상품을 팔고 상업적인 색깔로 변질되어 가는 모습을 흔하게 볼 수 있다. 순수한 모습을 지닌 그야말로 고즈넉한 조선시대의 전통마을을 보고 싶어 전국에서 관광객들이 찾았을 텐데 이러한 점이 좀 아쉬운 모습들이다. 외국인들의 눈에는 이러한 광경이 어떻게 보여질까? 물론 이곳에 살고 계신 주민들은 많은 불편이 따르리라 생각된다. 생계를 위해 두부, 라면, 담배 등을 구입 하면서 살아야 할 것이다. 그래서 아직도 낡은 현대식 구멍가게의 존립이 필요한지도 모르겠다. 관광객들은 모두 주차장에서 내려 주차비를 내고 있는데 주민들은 마을 골목길에 주차를 해놓고 심지어 관광객들 사이로 먼지를 일으키며 차를 몰고 다니기도 한다. 세계문화유산에 등재 된 전통마을의 모습이 맞는지 의아한 모습들이다. 이제 우리는 이러한 모습들을 탓하지만 말고 대책을 세워 정말 세계문화유산에 걸맞는 모습들로 바꾸어야 할 것이다. 예를 들면 구멍가게를 전통적인 기와집으로 지어 관광객들에게 특산물을 팔고 기타 물품들을 판매할 수 있도록 만들어야 한다. 그리고 최소한 관광객들이 많이 찾는 토요일, 일요일 등 공휴일에는 마을 주민들이 협력하여 차량을 몰고 관광객들의 보행을 방해하지는 말아야 할 것이다. 마을길에 담배꽁초가 즐비하고 주민들의 상업적인 상품판매가 우선이 되는 양동마을은 진정한 모습이 아니라고 본다. 좀 더 체계적이고 아름다운 모습을 많은분들에게 보여 주고 알리는 세계적인 문화유산으로 거듭나기 위해서는 마을을 들어서면서 모두가 공감할 수 있는 전통적인 상징성이 있어야 할 것이다. 세계문화유산에 등재된 양동마을을 늘 찾으면서 자부심과 긍지를 지닌 한 사람으로서 되뇌어 본 시간이었다.

양동 정월대보름 전통 줄다리기 참가(2014년)

전국노래자랑을 시청하며(2014년)

텔레비전 프로그램 중 가장 즐겨보고 기다리는
프로그램이 전국노래자랑이다. 만인의 연인이며 만
인의 오빠, 형님으로 통하는 사회자 송해님의 구수
한 입담을 즐길 수 있고 출연자들이 들고 나오는
각 지역의 특산물....그리고 구수한 사투리가 어우
러지고 가끔씩 어린이가 출연을 했을 때 지갑을
열어야 하는 악단장님, 신나게 노래 부르다가 땡!
소리에 민망해하며 무대를 도망치는 출연자 모습,

딩동댕~소리에 기뻐하는 모습, 어린이부터 90대 노
인에 이르기까지 모두 함께 출연하고 주인공이 되
는 전국노래자랑. 이 프로그램을 보노라면 서민으
로서 살아가는 우리들 세상을 한눈에 볼 수 있으
며 세상이 아무리 힘들어도 모두 이웃사촌이며 인
정을 통해 살아가는 사람임을 느끼게 한다. 멀리
타국에서 대한민국으로 시집온 여성들의 출연을
통해 다문화를 이해할 수 있고 병상에 누워있는
부모님의 쾌유를 기원하며 편지를 띄우고 슬픔과
기쁨을 전하고 울고 웃으며 모두 함께 공유하는
프로그램. 바로 전국노래자랑이다. 누구도 흉내 낼
수 없는 영원한 전국노래자랑 지킴이 송해선생님
의 만수무강을 기원하며 나도 언젠가는 반드시 전
국노래자랑에 출연할 것을 다짐해 본다. 전국노래
자랑 만만세~ 지난 일요일에는 초대가수가 등장
을 하고 무용단이 등장을 했는데 어디서 많이 본
예쁜 무용수가 신나게 무용을 하지 않던가. 자세히
보니 우리 학교 졸업생 에이블(창작댄스팀) 출신
인 고은정이었다. 너무도 반가웠다. 노래자랑이 끝
나는 시각 시상을 위해 준비하는 과정에 또다시
초대가수가 등장...여기에도 고은정이 등장하질 않
던가. 지난번엔 불후의 명곡에도 출연을 하였는데..
대학에서 무용을 전공하고 이젠 전문 무용인으로
서 열심히 성장해 가는 은정이의 모습을 보면서

흐뭇함을 가진 시간이었다. 앞으로 전국노래자랑을
보는 묘미가 하나 더 생긴 계기가 되었다.

만인의 연인 송해 선생님

2014. 4. 17.
세월호 침몰

"엄마, 말 못할까봐 문자 보내…사랑해" 침몰하는
여객선에서 한 단원고 학생이 보낸 문자이다. 다행
히 이 학생은 구조 되었다고 한다. 사고는 났는데...
통계가 오락가락하는 대한민국. 어제 모두 구조되었
다는 소식에 안도의 한숨을 내쉬었을 부모님들. 근

데 오후 늦게 발표에는 대부분 실종.....부모들의 마음은 하늘이 무너지는 기분이었을 것이다. 수학여행 간다고 즐겁게 집을 나섰을 아이들의 모습. 오늘 아침 차가운 바닷가에서 뜬눈으로 밤을 새운 부모들의 모습을 텔레비전 뉴스를 통해 보면서 첨단산업사회 대한민국에서 사는 게 맞는지 의심스럽다. 그리고 교사로서 부모로서 가슴이 답답하다. 476명의 인원을 태우고 인천을 출발하여 제주도로 향하던 세월호는 전남 진도 인근 해상에서 좌초되어 무려 304명의 소중한 생명을 앗아갔다. 그들의 안전을 책임져야 할 선장과 선원들은 도망가기에 바빴고 침몰해 가는 배에는 단원고 2학년 학생 325명이 타고 있는 상황이었다. 학생들은 꼼짝하지 말고 기다리라는 방송을 듣고 그 말만 믿고 휴대폰으로 문자를 통해 상황을 주시하며 기다리고 있었던 것이다. 결국 꿈 많은 단원고 학생 248명과 교사 10명은 끝내 탈출하지 못하고 사망하였다. 참으로 부끄러운 대한민국의 현실이다. 이에 대한 책임은 누가 져야 할 것인가.

교사란?

교사는 학생들에게 단순히 지식만 가르치는 사람이 아니라 올바른 인성을 지닌 인재를 길러내는 것이 너 큰 과제라고 생각한다. 오늘날 집단에서 끝까지 살아남는 자는 주변사람들과 함께 융화하고 남을 배려하고 실천하며 살아갈 수 있는 사람이라고 생각한다. 선진사회일수록 질서가 잘 이루어져 있다. 이는 어릴 때부터 가정교육과 학교교육이 제대로 이루어졌기 때문이다. 서구사회에서의 중산층은 풍요로운 재산이 아니라 악기를 하나 다룰 줄 알고 스포츠를 하나 즐길 줄 알고 남을 위해 봉사할 줄 아는 사람이라고 한다. 질서 속에 자유와 책임이 존재하는 학교 공간을 만들고 싶다. 담임을 맡으면 우리 반 급훈은 늘 '인생은 흘러가는 것이 아니라 채워지는 것이다.'라는 글귀를 교실에 걸어 두었다. 이는 노력하는 사람이 되었으면 하는 바람을 담은 것이다. 같은 하루의 시간이라도 어떻게 보내느냐가 중요하다고 본다. 사람마다 시간의 활용은 다르기 때문이다. 다른 선생님들의 수업 개선 사례발표를 통해 다른 과 선생님들의 발표를 들으면서 많이 배울 수 있는 계기가 되었다. 앞으로 더욱 학생들과 함께 할 수 있는 마음을 가지고 밀접한 관계 속에 즐거운 지리 수업이 되도록 노력할 것이다. 그리고 남은 교직의 길 무의미하게 보내는 것이 아니라 진정 채워지는 삶, 학생들과 늘 함께하는 교사이고 싶다.

학급테마여행(문경새재. 2014년)

교사로서 마지막 담임(3학년3반 졸업식. 2015.년 2월.)

문화재지킴이단이 되는 길(2015. 5.)

양동마을 무첨당의 고운 따님이 납신다. 양반집 규수가 서울 한복판에서 개량한복을 입고 브이 포즈를 취하며 웃고 있는 사진이 페이스북에 올라온 것이다. 양동의 여강이씨 종가집 따님께서 어찌 이런 일이.....사진을 보면서 무첨당 따님이 한양에 유학을 가 길거리에서 자연스럽게 포즈를 취한 모습이 그리 낯설지가 않았다. 왜냐하면 무첨당 따님을 고등학교 2학년 때 담임을 하였기 때문이다. 우리 학교는 지난 2004년 10월 개교기념일을 맞이하여 양동마을과 자매결연을 맺고 1,2학년 전교생이 매달 번갈아 양동마을로 문화재 보존활동을 실시해 오고 있다. 과학이 발달하고 첨단화되고 있는 요즈음엔 학생들이 과거의 전통문화를 자칫 잊어버릴 수 있다는 생각에 당시 교장선생님(최상하선생님)께서 양동마을과 자매결연을 맺고 우리 학생들이 정기적으로 양동마을을 방문하여 문화재 보존활동을 할 수 있도록 주선을 하신 것이다. 이에 전교생들은 누구나 양동마을을 찾게 되었고 문화재보존활동 뿐만 아니라 동네 어르신들을 개교기념일 행사에 초대하여 음식을 대접하고 손주, 손녀들의 재롱을 보여 드리고 기쁨을 나누는 행사로 발전해 왔다. 2009년 어느 날 우연히 문화재청 사이트를 보던 중 청소년문화재지킴이단 구성에 관한 내용을 보게 되었다. 그것을 보는 순간 우리가 하고 있는 일들을 좀 더 구체화시키고 싶다는 욕심이 생기게 되었다. 한마디로 신바람이 났다. 서류를 만들고 신청을 하여 영일고청소년문화재지킴이단이 정식으로 탄생한 것이다. 문화재 관리를 잘 할 수 있는 기본적 소양교육을 부산문화원에서 개최한다기에 한달음에 다녀왔으며 이때부터 문화재청에서 주관하는 각종 행사에 적극적으로 참여하게 되었다.

먼저 지킴이단을 문화재청에 등록하여 문화재청장이 발급하는 위촉장을 받았다. 그리고 문학재청에서 부여하는 카페를 만들어 운영하며 문화재 보존활동을 마치고 돌아오면 바로 활동사진을 올려 공유하고 전국에서 지킴이들이 카페를 방문하여 우리들의 활동에 관심을 보여 주고 있다. 무첨당 따님도 역시 문화재지킴이단이 되어 양동마을을 방문하여 함께 보존활동에 참여하였다. 마루를 닦고 잡초를 뽑고 쓰레기를 줍는 활동보다도 정월대보름이나 전통혼례 및 제례시연회와 같은 행사가 있을 때 우리의 활동은 더욱 진가가 발휘 되었다. 정월 대보름날이 되면 마을 어르신들과 전국에서 찾아온 관광객들을 대상으로 행사를 안내하고 일손 돕기를 하게 된다. 옛 잔칫날 만큼이나 손이 모자라고 정신이 없다. 이날은 관광객들에게 마을에서 떡국을 만들어 무료로 대접을 하고 함께 음식을 나눠 먹는 시간을 마련하게 된다. 관광객 안내를 하여 자리를 마련해 주고 음식을 정성껏 담아 나르며 잔칫날의 먹거리를 제공하기도 한다. 영일고 지킴이단이라는 형광색 조끼를 단정히 입고 웃음 띤 얼굴로 관광객들을 맞는 학생들을 보며 많은 사람들이 칭찬을 아끼지 않았다. 나눔과 배려를 통한 즐거움을 만끽 할 수 있는 시간이다. 무첨당 아씨도 땀을 흘리며 열심히 다닌다. 자신이 살고 있는 마을에서 친구들과 함께하는 시간이 즐겁고 보람 있는 일임을 스스로 느끼고 행동하고 있는 것이다. 정월대보름 행사에 참가 하면 가장 먼저 강동 풍물놀이패가 신명 나게 분위기를 잡는다. 꽹과리의 리더 속에 장구와 북이 그리고 징이 따른다. 그 뒤를 이어 소북을 들고 춤을 추며 따르는 무리들이 있고 신명 나게 어깨를 들썩이며 동네 어르신들이 춤을 추며 나선다. 어디를 가도 넉살이 좋은 강득이와 유명이 그리고 재환이가 어느새 무리 속에 파고 들어 뒤를 따르고 있다. 시장님과 면장님도 춤을 추며 따른다. 나는 연신 사진을 찍어대며 이 장면을 놓이고 싶지 않아 셔터를 눌러 본다. 현란한 조명과 악기가 어우러져 굉음을 울리는 음악이 아니라 꽹과리와 징 그리고 북이 만들어 내는 소리에 모두가 심취되고 신명이 난다. 참 신기하다. 우리의 전통 가락이 이렇게 많은 사람들을 매료시키고 따르게 하다니. 한바탕 잔치가 있고 난 후 장내가 정리 되면 이장님으로부터 인사가 이어지고 우리 지킴이들까지 소개를 해 주시고 큰 박수를 주시니 뿌듯하다.

봉사활동을 통해 세상을 품는다

겨우내 얼었던 대지가 녹아내리고 풋풋한 땅 냄새가 풍겨오는 시골길을 지나면서 좀 더 의미 있게 봉사활동을 할 방법은 없을까? 차창 밖을 내다보며 잠시 생각을 해 본다. 우리 학교는 지난 2003년부터 경주양동마을을 시작으로 인근 각 지역 단체들과 자매결연을 맺고 휴무 토요일이면 반별로 학생들이 직접 각 단체를 방문하여 봉사활동을 펼친다. 처음에는 쉬는 날 쉬지도 못하고 그리고 인문계고등학교로써 입시와 관련하여 자습은 하지 않고 무슨 봉사활동이냐는 우려가 있었지만 많은 학생들은 이날을 손꼽아 기다리며 즐겁고 보람을 만끽하면서 봉사활동에 임하고 있다. 요즘 청소년들은 모든 면에 적극적이며 자신의 입장을 스스럼없이 잘 표현하기도 하고 때론 지나치다 싶을 정도로 이기적인 면이 표출되는 현상도 볼 수 있다. 남을 배려하는 마음속에 자신의 입장을 잘 전달하는 일들이 이루어진다면 참 좋을 텐데… 라는 생각을 해 보곤 하였다. 하지만 지속적이고 체계적인 봉사활동을 실시 한 이후 본교 학생들은 이러한 면에 있어서 인성적으로 참 성숙되었음을 봉사활동 인솔을 하면서 자주 느낀다. 특히 돌아와서 적는 학생들의 봉사활동 소감문을 읽어 보노라면 어른들도 잘 느끼지 못했던 살아가는 삶을 문장으로 가득 토해 내며 정립해 가는 모습이 참 대견하고 어른스러웠으며 졸업 후 대학에 진학하고 사회로 진출해서도 소중한 추억이 되어 생활의 지표가 되었음에 감사함을 전하는 이들도 있다. 내자신이 누군가에게 도움이 될 수 있다는 건 참 행복하다고 생각한다. 하지만 과연 내자신이 그런 존재가 될 수 있을까? 라는 의문을 우린 늘 가지고 살아간다. 이 때 우리 학교는 교육적인 차원에서 시행한 자매단체 방문 봉사활동은 내 자신도 남을 도울 수 있구나 라는 자신감을 불러일으키는 계기가 되었으며 모든 일을 행함에 있어 누구나 즐거운 마음으로 시작하고 나의 작은 봉사로 인해 남들이 즐거워하는 모습을 보며 더불어 살아가는 사람사는 세상을 느낄 수 있다고 본다.

흥해 지진피해 지역을 다녀와서(2017. 11. 30)

올해도 어김없이 수능시험장을 운영하게 되어 시험 하루 전 수능시험장 점검을 하러 나온 교육청 관계자분들과 본관 3층 시험실을 둘러보고 있는데 갑자기 건물 전체가 흔들리는 것이 아닌가! 작년 경주 지진으로 인해 마음 졸이며 생활했었는데 그때 보다도 훨씬 강한 지진임을 직감할 수 있었다. 지진으로 불안감은 있었지만 교실에서 하던 일을 마무리하고 1층으로 내려왔다. 뉴스 속보를 접하니 진도 5.4의 지진이 흥해지역에서 발생하였으며 이 지역의 오래된 아파트와 학교 건물의 외벽이 무너져 내렸고 이로 인해 지나가는 사람이 다치는 등 인명 및 재산피해가 속출하였다. 우리가 위치한 포항남구지역은 건물이 흔들리는 정도로 그쳤으나 포항시 북구 흥해읍 지역은 아파트가 기울고 필로티공법으로 지은 빌라의 기둥은 엿가락처럼 휘어져 곧 무너질 듯 위험한 사진이 뉴스로 연신 내 보내지고 있었다. 무엇보다도 지진피해를 입은 주민들의 심적인 부담감은 오죽하겠는가. 같은 포항지역에 살면서 안타까운 마음으로 바라볼 뿐이었다. 수능시험장으로 지정된 포항시내 학교 몇 군데도 지진피해를 입어 상황이 그야말로 악화일로였다. 결국 수능시험일이 일주일 후로 연기가 되는 상황을 맞이하게 되었으며 전국의 관심은 포항으로 쏠리게 되었다. 갑자기 수능시험장 준비를 하다가 중단이 되었는지라 주말에도 수능시험장 준비 관련업무로 출근을 하였다. 그런데 교무센터에 도착하니 1, 2학년학생 10여명이 학교에서 봉사활동 조끼를 챙기고 있었다. 왜냐고 물으니 지진 피해지역에 봉사활동을 간다는 것이다. 포항에 살면서 지진은 겪었지만 미처 생각지도 못했던 일이다. 그저 난 포항지역에 살고 있으니 모두가 다 똑 같은 피해입장이라고만 생각하고 있었다. 뒤통수를 한대 호되게 얻어맞은 기분이었다. 그나저나 어떻게 지진 피해지역인 흥해 까지 이동을 하냐고 물으니 모두 부모님이 태워 주신다는 것이다. 당황스러웠다. 교사인 나도 생각하지 못했던 일을 학생들이 나서서 도움을 주러 간다고 하니...결국 나는 모든 것을 팽개치고 학생들을 따라 나섰다. 도착한 흥해 체육관은 텔레비전뉴스에서 볼 수 있는 광경 그대로였다. 매트리스를 임시방편으로 깔고 그 위에 구호품으로 나온 이불을 덮고 지진피해주민들이 삼삼오오 모여 시름을 덜고 있었다. 우리는 봉사센터에 등록을 하고 체육관 출입문에서 지진피해민들에게 컵라면과 귤 등을 나눠주며 원활하게 체육관 안으로 출입할 수 있도록 질서유지를 돕는 일을 하였다. 그리고 용기를 내시라는 말씀도 잊지 않았다. 우리 영일고등학교 학생들이 참 예쁘고 대견하게 여겨졌던 시간이었다. 지난 2007년 서해기름유출사건이 발생하였을 때 전국에서 봉사자들이 태안으로 몰려들어 해안가에 밀려온 시커먼 기름을 제거하던 모습이 생각난다. 그 때도 우리 영일고등학교 2학년 4반 학생들은 버스를 대절하여 충남 태안 학암포해수욕장까지 달려가 기름을 제거하고 온 적이 있다. 그들은 지금 대학을 졸업하고 사회 각 요소에서 열심히 살아가고 있다. 당시 담임인 나로서 지금 생각 해 봐도 반 아이들이 기특하였고 추억의 한 페이지로 영원히 남아 있다. 인성이 바르니 대학도 모두 다 원하는 대로 잘 갔고 사회생활도 즐겁고 보람 있게 하는가 싶다. 흥해 체육관 안과 밖에는 우리뿐만 아니라 다른 단체에서도 많이들 오셔서 급식도우미, 짐 나르기 등 많은 일을 하고 있었다. 반갑게도 영일중학교에 근무하고 계신 윤길채선생님도 사모님과 함께 교회의 일원으로 오셔서 봉사활동을 하고 계셨다. 우리는 오전 활동을 열심히 하고 오후에는 다른 봉사자분들이 오셔서 우리가 하던 봉사활동을 인계하고 돌아왔다. 같은 포항지역이지만 지진피해상황은 남구와 북구가 확연히 달랐다. 아직 여진의 후폭풍도 있고 한데 집에서 쉬지 않고 솔선수범하여 나서는 영일고 학생들의 모습에 교사인 내 자신이 한 수 배웠던 시간이었다. 돌아오면서 이렇게 착하고 성실한 학생들과 영일 울타리에 공존하고 있음에 감사하게 생각되었다. 아무쪼록 지진피해를 입은 지역의 빠른 복구와 피해주민들의 아픈 상처가 빠른 시기에 치유되길 기원 해 본다.

홍해체육관입구(컵라면, 귤 무료 배식 봉사)

유럽연수(영국,프랑스,독일)

(2019. 07. 31.~ 08. 10.)

민주시민선도학교를 운영하면서 각 학교 대표선생님들 중심으로 이루어 진 민주시민교육의 선봉장이 되고 있는 영국, 프랑스, 독일의 시민교육을 직접 체험하는 7박9일 연수에 참가하였다.

1일차(7월31일. 수)

평소 비행기 울렁증이 있어 외국여행을 하면 설레임 보다도 긴장감이 더 컸었는데 이번 연수는 영국까지 무려 12시간 동안 비행기를 타야 한단다. 포항을 출발. 안동에 위치한 경상북도교육청에 도착하여 버스를 타고 우리 일행 21명은 인천공항에 도착. 수속을 밟고 500명이 타는 대형비행기에 탑승. 드디어 장장 12시간의 비행이 시작되었다. 옆자리에 낯선 여성분이 앉아 있어 화장실 가는 것도 잠자는 분을 깨울까 조심스러웠다. 현지 시각 저녁 8시에 도착한 영국 런던 히드로 공항 근처의 숙소 헤스톤 하이드 호텔. 짐을 풀고 다음 일정을 위해 일찍 잠이 들었다.

2일차(8월1일. 목)
우리가 처음으로 찾은 곳은 민주시민교육협회 ACT(Association for Citizenship Teaching)였다. 민주시민교육을 담당하는 교사 및 관련 교육 종사자들의 단체로 2011년 설립되어 일선 교사들에게 민주시민교육 및 평가 방안 등에 대한 지침을 제공하는데 중점을 두고 있는 기관이었다. 재정.경제, 정치적 판단능력, 사법제도, 사회활동 등 주제별 교육 프로그램을 운영하고 있었다. 다음 방문지는 Young Citizen이었다. 영국은 정규교육과정에 민주시민교육을 편성. 운영하고 있다. 교육개혁법에 따라 의무교육기간(만3~18세)에 총 6개의 핵심단계로 나뉘어 각

단계별로 아동. 청소년이 습득해야 할 학습 기준이 제시된다. 6개의 핵심 교육단계 가운데 3단계(만 11 ~14세) 및 4단계(만 14세~16세)에 해당하는 기간 에 민주시민교육이 중점적으로 이뤄져야 한다고 명 시하고 있다. 교육의 주된 내용은 사회적·도덕적 책 임감(social and moral responsibility), 정치적 판단 능력(political literacy), 지역사회 관여(community involvement) 3가지 능력 배양에 초점을 맞추고 있 다.

3일~5일차(8월2일~4일)
런던은 그리 덥지도 않은 서늘한 해양성기후이다. 얇은 잠바를 입고 다녀도 8월의 뙤약볕이 따갑게 느 껴지지 않는다. 오늘은 주변 문화탐방을 하는 날이 라 마음이 조금은 가볍다. 템스강의 개폐식다리인 타워브릿지(250m. 1894년)를 직접 걸어 건너 보았 다. 책에서만 보던 템스강의 타워브릿지를 건너노라 니 감회가 새로웠다. 미술작품 갤러리로 유명한 테 이트 모던 탐방, 거리의 아티스트공연이 펼쳐지는 코벤트 가든 등 런던시내를 두루 거닐어 보았다. 거 리에서는 특히 2층 버스와 빨간 공중전화부스가 유 달리 눈에 들어 왔다. 거리는 옛 전통 건축물을 그 대로 보전하며 도로가 좁다는 것을 느꼈다. 복잡한 듯하면서도 여유가 느껴지고 질서 있는 시민들의 모습이 눈에 보이는 느낌이다. 옥스퍼드를 방문하였다. 옥스퍼드 대학교는 39개의 칼리지와 6개의 홀, 4개의 대학과 여러 개의 학부로 이루어져 있다. 각 칼리지와 홀들은 자치권을 행사한다. 중앙 캠퍼스는 따로 없으며 옥스퍼드 일대에 학교 건물과 시설들이 흩어져 있다. 학부 교육은 매주 각 칼리지와 홀에서 마련하는 개별 지도(tutorial) 중심으로 이루어지며 강의와 연구회, 연구실 실험 등과 함께 한다. 옥스퍼드 대학교는 세계에서 가장 오래된 대학 박물관인 애슈몰린 박물관과 가장 큰 대학 출판부인 옥스퍼드 대학교 출판부, 영국에서 가장 큰 대학 도서관을 운영하고 있다. 2019년 2월을 기준으로 28명의 영국의 총리들과 전 세계의 많은 국가원수 및 정부 수반들이 옥스퍼드 대학교를 거쳐 갔다. 또한 55명의 노벨상 수상자와 3명의 필즈상 수상자, 2명의 아벨상 수상자, 120명의 올림픽 메달리스트 등이 옥스퍼드 대학교를 거쳐 갔다. 옥스퍼드 대학 내에서도 특히 크리스트 처치가 가장 우수한 대학으로 명성이 높았다. 3일 아침에는 대영박물관을 방문하였다. 이곳에서 BC196.이집트 로제타석이 1층 4번실에 전시되어 있다. 이 비문을 통해 고대 이집트를 재발견하는 계기가 된다. 특히 인상 깊었던 곳은 대영박물관내에서 가장 큰 공간을 차지하고 있는 파르테논 신전 부분이었다. 기금도 그리스정부와 유물반환문제로 논

란이 많은 것으로 알고 있다. 파르테논신전 조각상 중에서 가장 사랑받고 있는 조각상은 셀레나의 말머리이다. 달의 여신 셀레나의 마차를 끄는 말의 머리 부분이다. 파르테논 신전은 기원전 5세기에 아테네 여신을 모시기 위해 아테네의 아크로폴리스에 세워진 사원이다. 파르테논신전은 그리스의 상징이자, 아테네 시민 민주주의의 상징이다. 이런 신전 조각들이 이곳 런던에 전시되고 있는 것일까? 1799년 토머스 브루스 엘긴 영국 백작이 오스만 제국의 그리스 주재 영국대사로 임명된 뒤 20여년에 걸쳐 조직적으로 자행 약탈하였다. 대사직을 자신의 사적 욕망을 채우는 도구로 활용한 엘긴은 프리즈의 판석들과 메토프(프리즈의 조각판)의 장식조각들 중 가치있어 보이는 것들을 모조리 떼어냈다. 이를 위해 대리석 판석을 톱질하고 코니스(치마 모양 구조물)를 떼어내고 엔태블러처(지붕을 받치는 부분)를 부수고 하는 과정에서 조각물이나 판석들을 떨어뜨리거나 절단했고, 운반선도 침몰하는 등 파르테논은 조각 장식 대부분을 잃는 치명상을 입었다. 이런 수난을 거쳐 그 패널 중 56장, 메토프 조각품 15점이 대영박물관에 소장돼 있다. 1974년 그리스 민주화를 거쳐 사회운동당 정부가 들어서고 문화부 장관을 유명 여배우 멜리나 메르쿠리가 맡게 되면서 반환운동은 비로소 세계적인 관심을 끌게 되고 영국 내에도 파르테논 조각 환수위원회가 꾸려졌다. 하지만 여전히 반환된 건 없다. 대영박물관을 탐방하고 다음은 버킹검 궁전이었다. 근위병들의 전통 교대식을 보면서 영국왕실의 권위와 정통성에 대해 생각해 보는 계기가 되었다. 이외에도 국회의사당과 런던의 상징 시계탑 빅벤 등을 보면서 복잡하지 않음에도 상징적인 건축물을 잘 조화롭게 구성하는 섬세함에 감탄을 금치 못하였다.

5일~6일차(8월4일~5일)

런던에서 파리를 향해 유로스타를 이용하여 달렸다. 2시간 30분여 만에 파리에 도착. 역시 파리는 자그마한 케스타지형으로 높은 산지는 볼 수 없었다. 먼저 문화탐방으로 베르사유궁전을 찾았다. 베르사유궁전은 처음 루이 13세의 사냥용 별장으로 지어졌으나, 루이 14세의 통치 아래 호화로운 왕궁으로 개조되었으며, 루이 필립에 의해 박물관으로 변신하였다. 이 건축물의 웅장함은 너무나도 압도적이다. 총 면적이 63,154m2에 이르는 베르사유 궁전에 무려 2,300개의 방이 있다는 사실에 놀랍다. 파리를 유유히 흐르는 세느강에 유람선을 타고 이동하는 순간 그야말로 살아 숨 쉬는 박물관에 온 기분이었다. 약 1시간에 걸쳐 이동하노라니 에펠탑, 루브르박물관, 노트르담 성당 등 파리의 관광명소들을 편하게 감상할 수 있었다. 노트르담 대성당만큼 프랑스를 상징하는 지역은 없다. 노트르담의 라이벌로 비견되는 에펠탑은 고작 100년 남짓의 역사를 가졌다. 노트르담은 1200년대부터 파리와 함께했다. 2019년 4월 화재가 발생한 후 수천 명 이상이 성당 주변에 모여 불타는 성당을 말없이 바라보았다. 일부는 흐느꼈고 일부는 성가를 불렀다고 한다. 에펠탑은 프랑스혁명의 100주년을 기념하기 위해 개최한 세계 박람회인, 1889년 만국 박람회의 입구로서 1887년부터 1889년까지 건축되었다.

콩코드광장은 세느강 우안에 위치하여 서쪽으로는 샹젤리제 거리의 시작점이며, 동쪽으로는 튈르리 정원의 끝에 위치한 콩코드 광장은 지리적 여건과 정치적 목적에 따라서 격동기의 다양한 사건과 행사가 진행된 곳이다. 지리적 위치를 고려해보면, 북쪽으로는 몽마르트르 언덕을 연결하고 남쪽으로는 국회의사당에 해당하는 하원의회 건물과 마들렌느 대성당을 연결하고 있으며, 동쪽으로는 튈르리 정원과 루브르 박물관, 서쪽으로는 샹젤리제와 라 데팡스 신도시가 연결되는 교통의 요충지이다. 1789년 7월 14일 프랑스 대혁명의 소용돌이 속에 이 광장이 중요한 장소로 떠오르는데, 다양한 행사와 모임이 치러진다. 10월 6일에는 흥분한 시민들에 의하여 베르사유 궁전에서 '루이 16세'와 '마리 앙뚜와네트'의 가족들이 이 광장을 통과하여 루브르 궁전으로 압송된다. 1792년 8월 11일, 이 광장의 주인이던 루이 15세의 동상이 철거되어 제철소의 용광로로 들어갔으며, 그 자리에는 르모 Lemot 조각가의 '자유의 여신' 작품이 새워지면서 이 광장을 '혁명 광장'이라고 부른다. 광장에 세워진 이집트의 오벨리스크를 보면서 의문을 가져 본다. 왜 이곳에 있는지. 이유인즉, 프랑스 '부르봉 가문'의 마지막 왕인 '샤를르 10세'에게 이집트의 부왕 '알리' 정부가 '룩소르 신전에 있던 '오벨리스크 Obelisque'를 1831년 프랑스에 선물하였고, 바다를 가로질러 1833년 12월 21일 파리에 도착하였다. 영국과 프랑스는 수많은 원정을 통한 전쟁을 하면서 지중해 연안의 그리스, 이집트 등에서 수많은 문화재를 접하면서 이동시킨 흔적이 많은 것 같다.

7일차(8월6일.화)- 연방정치교육센터(Bundeszentrale für politische Bildung)

이번 연수의 하이라이트인 독일의 연방정치교육센터를 방문하기 위해 파리에서 TGV(떼제베)를 타고 4시간 정도를 달려 프랑크푸르트에 도착하였다. 연방정치교육센터는 1952년 지역 정치교육를 위한 연방본부라는 이름의 연방내무성 산하기관으로 출발하였다. 이 기관은 당시 자국 국민들로 하여금 의회주의적 정부 형태와 민주주의 정치 규칙을 교육하기 위해 설치되었다. 주요사업으로는 민주주의 공교육 담당 및 지원이다. 초등학교부터 학교 밖 평생교육까지 독일 정치교육의 일차적인 장소는 학교로 감수성이 예민한 초등학교에서는 경제사회, 도덕, 역사, 지리, 자연과학기술 등을 학습하되 좁은 의미에서 정치교육을 받는다. 중등교육과정에서는 독일의 기본 가치와 이념, 국제관계를 배운다. 수업은 기본법 제1조의 인간 존엄성과 개인적 자유, 제20조의 자유민주주의 질서의 기본원칙과 그와 관련된 구체적인 문제에 중점을 두고 진행되며 나아가 산업사회에서의 이해능력, 민주주의에 있어서의 정치참여능력 등을 기르도록 한다. 민주주의를 배운다는 것은 학교 수업에 국한되는 것이 아니라 학교 교육과정 전체의 목표이며 학교 밖 평생교육의 기초가 된다. 독일은 통일은 달성하였지만 기쁨보다는 동독주민들에 대한 민주주의 교육, 청소년들의 교육문제가 관심사였다. 따라서 독일 전역에 지역정치교육센터가 연방정치교육센터의 사무실처럼 배치되어 있다. 여기서 통일 이후 많은 회의와 세미나, 교육프로그램이 진행되었다. 당시 구 동독 지역에서 선생님, 교육자로 일하며 체제에 의해 피해를 입은 사람들을 위하여 민주주의에 관한 재교육이 있었고, 또한 학교 내에서 민주주의를 어떻게 가르칠 것인지에 대해 교육을 했다. 이는 시간이 매우 오래 걸리는 일이었다. 40년이라는 긴 세월 동안 동독 체제에서는 자유로운 의사표현이 제한되어 있었기 때문에 민주주의의 체계를 이해하는 데에 많은 어려움이 따랐다. 연방정치교육센터를 보며 들었던 생각은 성숙한 시민사회는 저절로 만들어지는 게 아니라는 것이다. 지난 날에 대한 깊은 반성(베를린 시내 곳곳에 설치된 다양한 추모기념 상징물들과 이를 대하는 독일 국민들)과 갑자기 닥친 통일을 30여 년만에 안정적인 괘도에 올려놓을 수 있었던 것, 아울러 두 팔 벌려 그 많은 난민을 수용할 수 있었던 것은 오랜 시간 독일 곳곳에서 시민들을 대상으로 전개한 각계 각층의 노력 때문이었다. 한국과 독일은 다르다. 북한과 당시 동독의 상황도 다르다. 참 많은 부분이 다르다. 때문에 동서독 통일의 모습 속에서 남북 통일의 교훈을 찾는 건 매우 불가능하다. 하지만 어려운 상황을 극복할 수 있는 성숙한 시민사회의 보이지 않는 힘은 큰 시사점을 안겨주었다. 북한 및 통일에 대한 국민들의 이해뿐만 아니라 민주주의, 인권, 환경, 정치참여 등 전반적인 시민의식의 성장이 한국사회에 필요하다. 그리고 그 방법의 하나로 체계적이고 내용 있는 청소년 시민교육을 실시하여야 한다.

8일~9일차(8월7일~8일)

어제는 연방정치교육센터를 방문하고 대학의 도시 하이델베르크로 이동하여 하이델베르크고성을 관람하였으며 구시가지 등을 둘러 보았다. 파리와는 달리 독일의 프랑크푸르트는 후덥지근한 여름날씨이고 내륙의 도시라는 것이 실감이 났다. 오늘 아침엔 대한민국으로 돌아 간다는 가벼운 마음으로 뤼데스하임으로 이동하여 케이블카를 타고 언덕에 올라 라인강의 흐름과 주변 경관을 관람하였다. 프랑크푸르트에서는 저녁 시간에 비행기를 탑승하여 기내에서 숙박을 하고 우리나라 시각으로 8일 오후 1시 인천공항에 도착하였다. 유럽 선진국의 민주시민교육을 짧은 시간이었지만 직접 설명 듣고 탐방 할 수 있는 계기를 마련하여 너무 뿌듯하고 보람 있는 연수 시간이었다.

런던 ACT(Association for Citizenship Teaching)

런던 버킹검 궁전

런던 옥스퍼드 크라이스터처치

파리 콩코드광장 오벨리스크

파리 에펠탑

독일 연방 정치 교육센터 방문

나라사랑 해외 체험 활동(2019. 11. 25.)

수능이 끝난 후 학생 18명, 선생님 3명이 4박5일 나라사랑 국외체험을 떠났다. 옛 우리 민족이 독립운동을 펼쳤던 만주일대의 길림성지역과 러시아 연해주에 위치한 블라디보스톡을 거치는 대장정이었다. 김해공항을 출발하여 서해를 돌아 옌지공항에 도착. 여장을 풀고 용정에 위치한 윤동주 민족시인의 생가를 방문하고 옛 명동학원 자리에서 윤동주 시인의 삶을 생각해 보는 시간을 가졌다. 다음날엔 봉오동전투 유적지를 방문하고자 하였으나 입구부터 방문이 차단되어 있다. 봉오동은 두만강에서 40리거리에 위치하고 있으며 고려령의 험준한 산줄기가 사방에 병풍처럼 둘러쳐진 수십리를 뻗은 계곡지대이다. 홍범도장군은 일본군들이 계곡 입구를 통과하도록 유도하여 독립군의 포위망에 들어설 즈음 일제히 공격을 하여 일본군을 물리친 성과를 이루어 낸 전투로 유명하다. 이 전투에서 일본군은 사망자 157명, 부상자 200명의 엄청난 피해를 입었다. 반면 아군은 4명이 전사하고 약간의 부상자를 낸 지휘관의 예지, 지리적 요지를 잘 이용한 작전계획으로 오늘날까지 유명한 전투로 손꼽힌다. 도문일대는 두만강을 사이에 두고 북한과 접경을 이루는 곳이다. 금방 내달리면 한걸음에 북한을 갈 수 있는 거리이다. 북한에 펼쳐진 산에는 나무가 거의 보이질 않는다. 민둥산으로 헐벗은 모습이 인상적이다. 남북이 분단되어 가고 싶어도 갈 수 없는 곳. 눈 앞에 펼쳐진 북녘을 바라보면서 우리의 남북 현실을 인지하고 하루빨리 남북통일이 되었으면 하는 마음이 간절하였다. 훈춘의 방천을 방문하고 러시아, 중국, 북한의 삼국을 이루는 모습에 이곳이 전략적 요충지임을 한눈에 실감할 수 있었다. 청대 후기 중국은 러시아에게 부동항인 연해주를 잃게 되는 굴욕적인 베이징조약을 체결하게 된다. 두만강은 북한과 중국의 경계를 이루며 510km를 흐르고 나머지 15km는 러시아와 경계를 이루며 동해로 빠져 나가다 중국 훈춘에서의

2박 3일 일정을 마무리 하고 우리는 버스를 타고 러시아로 출발하게 된다. 하지만 출발하는 날 새벽 함박눈이 내리기 시작하는 게 아닌가. 일정이 어떻게 될지 미지수. 다행스럽게도 눈이 멎고 훈춘에 파견된 포항시 공무원 남규락님의 도움으로 우리는 러시아 그라스키노까지 함께 가게 되었다. 너무도 감사한 일이 아니던가. 중국 세관을 거치고 다시 버스에 올라 러시아 세관을 거친 후 우리는 도로 사정이 좋지 않은 눈길을 달려 그라스키노까지 함께 해 주셨다. 헤어질 때는 눈시울이 뜨거움을 느꼈다. 누군가에게 도움을 줄 수 있다는 것. 이분은 몸소 실천하여 함께 해 주신 진정한 애국자이셨다. 우리는 그라스키노 주변에 있는 안중근 단지동맹비에 참배를 할 수 있었다. 안중근의사가 중국 하얼빈에서 이토히로부미를 저격, 사살하기 위해 러시아 크라스키노 마을에서 또 다른 11인의 애국 열사와 함께 왼손 무명지를 절단하며 단지동맹을 결행하였다. 흐르는 피로 대한독립이라는 네글자를 새겼던 역사의 현장을 우리는 방문한 것이다. 1909년 10월 26일 하얼빈 역에서 이토히로부미를 사살한 안중근의사. 중국인들조차 그를 영웅으로 추앙하였다. 히토히로부미를 사살한 지 110년이 지난 2019년 11월 우리 일행은 독립운동을 하셨던 애국선열들께 감사한 마음을 가진 시간이었다. 훈춘을 출발한 지 약 6시간이 지나 우리는 우수리스크에 도착하여 점심을 먹고 광활한 연해주 벌판을 가로질러 2시간 정도 더 달려 블라디보스톡에 도착하였다. 언덕 위에 있는 호텔에 도착하니 세찬 바람이 거세게 불어 닥쳤다. 영하 10도는 족히 되는 듯하였다. 다음날 가이드와 함께 우리 민족의 아픔과 시련이 서려 있는 구한촌과 신한촌을 찾았다. 러시아 이주 후 독립운동에 헌신한 최재형 (1858~1920)의 삶과 흔적을 되새겨 보며 우리 민족이 초기에 정착한 구한촌의 모습을 둘러 보고 여기에서 강제로 이주된 신한촌을 탐방하였다. 하바롭스키야 거리에 있는 신한촌 마을은 온데 간데 없고 산기슭에 신한촌 기념비만 우뚝 서 있었다. 이곳은 1911년 이후 한인들이 집단적으로 거주하면서 독립운동을 벌였던 곳이다. 초기에는 63,000여명의 한인들이 거주하면서 조선인 학교를 세우고 1919년에는 망명정부인 대한 국민회를 수립하고 독립운동을 펼쳤으나 일본군은 1920년 신한촌을 급습하여 한민학교 등을 불태우고 수많은 사람을 학살하고 그때 독립투사인 최재형선생과 한인지도자들을 사살하는 만행을 저질렀다. 이후 소련혁명정부가 연해주에 세력을 키우자 일본군은 철수하고 우리 민족은 다시금 한인사회의 중심지로 발돋움하게 되었다. 하지만 1937년 구 소련 정부는 연해주에 살고 있던 우리 동포 175,000여 명을 갑자기 카자흐스탄과 우즈베키스

탄 등 중앙아시아로 강제 이주시켰다. 이유는 일제 침략에 협력할 것을 예방하고 불모지인 중앙아시아를 개발하겠다는 속셈이 숨어 있었다. 우리 민족은 화물열차를 타고 약 40일간에 걸쳐 6,000km를 이동해야 했기에 추위와 굶주림 등으로 10,000여 명이 목숨을 잃었다. 신한촌기념비는 1999년 독립선언 80주년을 맞이하여 한민족연구소가 연해주지방 독립운동을 기리고 러시아에 사는 한인들을 위로하는 의미로 건립하였는데 세 개의 기둥으로 이루어 져 있다. 가운데 가장 큰 기둥은 남한을 상징하며, 왼쪽 기둥은 북한, 그리고 오른쪽 가장 높이가 작은 기둥은 고려인을 상징하고 있다. 또한 기념비를 둘러싸고 있는 작은 비석들은 해외동포를 의미한다. 지금도 이곳을 고려인이 관리를 하며 우리나라 관광객들이 방문하면 안내를 해 주고 있다. 암울했던 일제 시대에 우리 민족은 정든 땅 , 고향땅을 떠나 만주벌판에서, 그리고 러시아 연해주에 이르기까지 오직 조국의 독립을 위하여 목숨을 바치며 희생하였음을 생각하노라면 가슴이 메어온다. 눈보라가 몰아치는 연해주에서 조국의 독립을 위해 싸우고, 두만강을 넘어 중국 만주 벌판에서 일본군과 목숨을 다해 싸웠던 독립군의 발자취를 따라 짧은 기간이었지만 우리 학생들은 선조들께 감사한 마음을 더욱 다지는 계기가 되었다. 블라디보스톡에서 비행기를 타고 동해를

돌아 김해공항에 도착하였다. 한반도를 한 바퀴 돌
아오는 대장정을 통해 우리가 살고 있는 조국이 있
다는 것에 긍지를 가지게 되었으며 다시 한번 깨닫
게 된다. 오늘의 대한민국이 존재함은 고귀한 목숨
을 다 바쳐 희생하신 선열들이 계셨음이라 !

봉오동전투 유적지를 찾아서(2019. 11.)

사진 뒤로 펼쳐진 두만강, 북녘 모습

크라스키노에 위치한 안중근 단지동맹비 참배

확산되는 코로나19

2019년 12월 중국 우한시에서 발생한 호흡기 질환인 코로나19(COVID-19)로 인해 우리나라 역시 2020년 1월초에 환자가 발생하기 시작하여 3월 현재 확진 환자가 전국 집계 7,478명, 사망자가 53명으로 늘어나고 있다. 가파른 확진자의 증가를 보이다가 이번 주를 시작으로 줄어들기 시작하고 있다. 사회적 거리 두기, 손 씻기, 마스크 착용 등 전 국민들의 바이러스 퇴치운동에 동참한 가운데 신천지 대구교회에서의 집단발병으로 인해 아직 그 여파는 크게 수그러들지 않고 있는 상황이다. 대한민국 헌정사상 전국의 유.초.중.고.대학교의 개학이 23일로 연기된 가운데 학생들은 가정에서 학습을 하고 있고 선생님들은 재택근무를 신청하여 출근을 하지 못하고 있는 실정이다. 우리나라는 초기에 정부가 강력하게 나서서 확진자를 가려내고 대처를 하고 있지만 현재 전 세계적으로 바이러스 감염자가 늘어나고 있어 그 추이가 관심 대상이다. 우리나라의 공개적인 뉴스를 통해 각국에서는 한국인 출입국을 금지하는 국가가 100여개국에 이르고 있고 마침내 이웃 일본과는 양국이 무비자 입국을 아예 금하여 비자발급 없이는 출입을 제한하는 등 국가 간 갈등까지도 대두되고 있다. 코로나19 바이러스는 국경, 시역, 인종을 가리지 않고 있으며 세계경제에도 치명적인 악영향을 초래하고 있다. 우리나라는 이와 같은 추세라면 경제성장률이 1%에 달하는 초유의 상황까지도 갈 우려의 목소리가 높다. 다른 국가와 달리 바이러스 전파에 대한 조사와 확진자를 분리하고 의심자를 격리하는 등 강력한 정부의 조치가 있었으며 국민들의 성숙된 시민의식으로 종교행사 및 각종 단체행사가 취소되고 있으며 기침예절 지키기, 사회적 거리두기 등을 실천하여 급상승하던 감염 확진 추이가 정점에 달하며 줄어드는 하향세로 전환하는 모습을 보이고 있다. 반면 일본, 미국, 이란, 이탈리아 등 유럽지역으로의 확산은 빠르게 전개되어 큰 문제로 대두되고 있다. 하루빨리 사라지길.....마스크를 벗고 다니고 싶다.

코로나로 인한 거리 두기 및 인사

방역을 위해 한 줄로 거리 두기 등교

코로나19 학교 등교 문화를 바꾸다

호흡기증후군으로 분류되는 코로나19가 2019년 12월 중국 후베이성 우한시에서 발생하여 우리나라는 2020년 1월 20일 중국 우한에서 인천공항으로 입국한 중국여성으로부터 시작하여 사회적 거리 두기, 생활 속 거리 두기 캠페인 등을 거치며 등교하지 않던 초.중.고학생들이 등교를 하고 있다. 온라인 수업이라는 초유의 사태를 맞이하며 오늘에 이루고 있다. 아직 대학교는 온라인 수업 중이다. 감염병 코로나19로 인하여 세계 경제가 마이너스 성장을 기록하며 우리나라 역시 모두 힘든 삶을 보내고 있다. 자주 손씻기, 소매로 가리고 기침하기, 환기 자주 하기, 마스크 착용 등 비상이다. 점심시간에는 지그재그로 자리를 띄우고 앉아 대화하지 않고 식사만 하고 나가도록 지도하고 있다. 아침 등굣길에는 건물 현관입구에 설치된 열화상기를 지나야 하고 교실 입구에서는 담임선생님이 발열체크를 2차적으로 실시하고 있다. 점심시간에도 열 체크를 실시하고 이동하며 학교 등교 전에는 자가 진단을 하여 몸이 이상이 있는 학생은 스스로 집에서 쉬며 선별진료소에 전화아여 상황을 소개하고 별도의 지시를 받아 행동하고 있다. 점차 확진자가 사라질 듯 하더니 오늘은 수도권지역을 비롯하여 전국에 확진자가 67명으로 늘어 났다고 한다. 하루빨리 코로나19가 사라지기를 학수고대해 본다. 슬기롭게 이 난국을 헤쳐 나가는 지혜를 모아야겠다.

2020. 9. 19. 토

코로나와의 전쟁

현재 코로나19로 인하여 1, 2학년이 격주로 학교에 등교하여 대면 수업을 하고 한 학년은 집에서 원격 수업을 듣는다. 3학년은 매일 등교를 하고 있다. 지난 2월 코로나가 전파되기 시작하여 4월 정도면 모두 제자리로 학사 운영이 돌아가 정착될 것이라 여겼는데 대면 수업은 자꾸 뒤로 미루어지고 신입생은 6월이 되어서야 등교하는 초유의 사태가 발생하였다. 2학기 개학을 맞이한 지금도 코로나는 종식될 줄 모르고 확진자가 날로 늘어 긴장 상태의 연속이다. 이번 추석 연휴에는 귀성객들의 이동을 자제하는 등 정부의 강력 대응안이 등장하고 포항시에서도 18일부터는 마스크를 쓰지 않으면 벌금을 물게 되는 강력 안전대책을 발동하였다. 지난해 12월 중국 우한에서 발생하여 전파되기 시작한 코로나는 전세계를 강타하여 오늘 3033만명의 누적 환자가 발생하였으며 하루 신규확진자 수가 30만명대를 지속하고 있다. 우리나라도 현재 총 누적 확진자 수가 22,893명에 달하며 오늘 신규확진자 수는 109명으로 확인 되었고 현재까지 사망자가 378명에 이르고 있다. 중앙방역대책본부와 교육부에서는 방역지침을 강력히 추진하여 각 학교마다 열화상기를 설치하여 운영하고 있고 우리 학교에서는 매일 아침 등교 전 자가진단을 하고 등교하게 하며 등교 시엔 열화상기 통과, 교실 앞에서 열 측정을 2차로 실시하고 있다. 중식시간에는 열화상기 및 체온 측정을 실시하고 담임선생님이 직접 학생들을 인솔하여 급식소로 이동하며 급식소에서는 한 칸 건너 자리 앉기 등을 추진하여 코로나 감염 예방에 최선을 다하고 있다. 올해 2학년 학생들은 사실상 수학여행도 갈 수 없는 상황이다. 신입생 역시 교외체험활동이 전혀 이루어지지 못하고 있으며 교내체육대회, 예술제 등 모든 집합행사가 이루어 질 수 없는 상황이 되고 있어 안타깝기만 하다. 금방 사라질 줄만 알았는데 이렇게 오랫동안 해결되지 않음에 학생들의 학교생활에 어려움이 너무 많다. 고등학교에서의 추억쌓기 등이 이루어지지 못하여 학생들에게 미안한 마음이 든다. 하루빨리 코로나19가 사라지기를 고대하는 수 밖에.

立志 최상하선생님을 그리며

"하루빨리 취업을 해서 부모님께 효도를 하고 싶습니다." 영일교육재단 입지 이사장님과의 면접에서 불쑥 내뱉은 말이다. 대학 졸업을 앞두고 영일교육재단에서 지리교사를 초빙한다는 신문광고를 보고 버스를 다섯 번이나 갈아타고 달려온 포항이다. 교사가 되고자 하는 꿈을 이루고, 농사일을 하며 자식들 공부 시키느라 허리 한번 제대로 펴지 못하고 일만 하신 부모님께 기쁨을 드리고 싶었다. 나는 꼭 교사가 되고 싶었다. 간절하였다. "우리 학교는 공개수업을 하여 선생님을 초빙하려 하는 데 자신 있나요?" 이사장님의 질문에 "자신 있습니다."라고 씩씩하게 대답을 하였다. 다시 고향으로 발길을 돌리며 차 안에서 이사장님과의 대화를 되씹어 보았다. 이사장님의 눈빛이 오랫동안 여운으로 남아 따스하게 다가왔다. 이후 공개수업을 하게 되었고 나의 간절한 소망대로 대학졸업과 동시에 교사가 되어 가슴 설레며 학생들과 만나게 되었고, 당시 일흔이 넘으신 부모님께 기쁨을 드리는 아들이 되었다. 세월이 지나 지금 생각해 보면 이사장님의 교육철학 중 가장 중요한 것은 바로 '인성'교육임을 알 수 있다. 짧은 생각이지만 면접 때 드린 말씀 중 오직 자식의 뒷바라지만을 위해 헌신하신 부모님께 효도를 하고 싶다는 진심 어린 마음에 점수를 후하게 주신 것은 아닌지 모르겠다. "생각이 바뀌면 행동이 바뀌고, 행동이 바뀌면 삶이 바뀌고, 삶이 바뀌면 운명이 바뀐다." 이사장님께서 평소 자주 하시던 말씀이다. 이사장님은 36년 흥해읍 죽천동에서 태어나 갑창사회(1960), 풍미사대표(1974)를 하며 경제활동에 전념히

였으나 평소 꿈꿔 오시던 교육에 대한 의지를 실천하고자 1978년 영일교육재단을 설립하시고 1988년 영일고등학교 2대교장으로 취임을 하셨다. 교장 선생님은 한마디로 실천가이셨다. 모든 일에 솔선수범 그 자체였다. 학교에 가장 먼저 출근하셨고 퇴근 시엔 교실을 둘러보며 학생들을 격려하셨다. 전교생의 이름을 외우셨고 봉사활동 소감문을 읽으시곤 학생 집으로 직접 전화를 하여 학부모에게 자녀의 학교생활과 생각을 함께 나누셨다.

2000년대가 되면서 영일의 역사는 새롭게 변화하기 시작했다. 교장 선생님의 교육철학이 더욱 정립되어 '신나는 학교' '즐거운 학교'를 슬로건으로 내걸었다. 한마디로 말하면 '인성함양을 통한 학력향상'을 추구하게 된 것이다. 학생들의 수도권 대학진학률이 높아지게 되었고, 2010년엔 제29회 한국교육자 대상을 수상 하는 쾌거를 이루었다. 2011~13년엔 교육부 주관 창의인성모델학교를 추진하여 전국에서 800여명의 선생님들이 우리 학교를 방문하여 체계화된 창의적체험활동을 벤치마킹해 갔으며 2017년엔 전국 100대교육과정 우수학교로 선정되는 등 명실상부 지역의 명문사학으로 우뚝 서게 되었다. 立志 선생님은 이러한 모든 교육 활동의 공을 늘 선생님들에게 돌리셨다. 하지만 立志 선생님의 철저한 학교관리가 있었기 때문에 오늘의 영일이 있음을 누구도 부인하지 않는다. 모든 열정을 쏟아 학교발전에 심혈을 기울이신 모습을 잊을 수 없다. 2014년 퇴임을 하신 후에도 학교발전을 위한 일에는 가장 먼저 앞장서셨다. 2018년엔 새로운 송원관 도서관이 개축되었으며 학교 곳곳마다 공사가 이어졌다. 이 모든 일에는 立志 최상하 이사장님의 노고가 함께 더해졌다.

송원관 현판식을 하면서 그렇게 좋아하시던 이사장님의 생전 모습이 눈에 선하다. 지난겨울 갑작스레 유명을 달리하신 이사장님. 병원치료를 하시며 힘겹게 꺼내시는 말씀 중에는 "선생님들이 참 고맙다. 고마워...." 힘겹게 말끝을 흐리며 눈시울을 붉히시곤 하셨다. 선생님들께 호령만 하시는 어른인 줄 알았는데 내심엔 늘 선생님들이 자리하고 있었다. 영일의 역사를 바꾸고 명문사학을 이룬 사실에는 이 사장님만의 역사가 아니라 우리 모든 영일 가족의 헌신과 사랑이 있음을 말씀하고 계신 것이다. 선생님들께 진정 감사한 마음을 전하시는 모습에 순간 울컥하였다.

앞으로 우리나라 교육과정의 핵심 키워드는 고교학점제이다. 우리학교는 고교학점제 선도학교로 지정되어 운영하고 있다. 추구하는 방향은 학생선택형 교육과정이다. 우리 학교는 이미 2007년부터 방학때

마다 선생님들은 교과목별로 세미나를 열어 학생참여형 수업 및 학력향상을 위한 연수를 진행하고 있다. 이 모든 것은 바로 이사장님의 핀란드식교육의 벤치마킹을 통해 시작된 것이다. 모든 선생님들의 수업을 직접 참관하시고 한 분씩 면담을 통하여 수업 컨설팅을 해 주셨다. '교사는 수업이 생명이다.' 학생은 교사의 역량 없이는 발전할 수 없음을 역설하시며 교사의 수업개선만이 학생들의 학력을 향상시킬 수 있음을 강조하셨다. 이러한 결과 영일고는 자연스럽게 학생참여형의 생동감 있는 수업, 고교학점제인 학생선택형 교육과정으로의 접목이 수월하게 이루어지게 된 것이다. 학생이 즐겁게 참여하는 수업. 발표력 향상과 나눔, 배려심을 함께 배우고 익히는 수업. 융합형 사고력을 지닌 인재육성에 立志 최상하 이사장님의 역할을 빼놓을 수 없다.

이사장님과의 첫 만남. 나에게 있어 이사장님은 교사로서 교직이라는 성직을 걷게 해 주신 은인이시다. 영일 가족 모두는 나와 마찬가지이리라 생각한다. 학생으로서 교사로서 학부모로서 우리는 늘 함께였다. 이사장님은 무에서 유를 창조하신 분이다. '도전하는 삶은 아름답다. 불가능에 대한 도전은 더욱 아름답다.'라는 신념비에 새긴 이 글은 영일인들의 가슴속에 영원히 살아 숨 쉴 것이다.

학생들과 담소를 즐겨 나누시던 모습

2021. 4. 30.(목)

지금은 코로나 시대

'한 줄로! 한 줄로!' 학생들의 거리 두기 등교를
지도하는 선생님의 목소리가 교정을 울린다. 코로나
로 인한 등교 문화가 한눈에 봐도 바뀌었다. 건물
입구엔 열 화상기가 설치되어 있고 보건 선생님은
손 세정제를 일일이 뿌려주며 손을 자주 씻기를 강
조한다. 건물 입구 유리창 벽엔 '바등깍가엄톱'이라
는 생소한 단어가 적혀 있다. 손 씻기는 손바닥, 손

등, 손깍지, 손가락, 엄지, 손톱 순으로 골고루 씻자
는 말을 줄여 사용하는 말이다. 코로나의 시대적 상
황에 따라 신조어가 탄생함을 느낄 수 있다. 연일
코로나 확진자가 발생하여 좀처럼 줄어들 기미가 보
이질 않고 있다. 예전처럼 아이들의 아침 등교가 시
끌벅적하고 친구들과 어깨동무하고 교문을 들어서는
모습을 보고 싶건만 아이들을 오히려 떨어지게 만들
어야 하니 참으로 안타까울 따름이다. 마스크를 모
두 착용하고 학생들과 대화를 나누다 보니 이젠 표
정을 읽기가 쉽지가 않다. 웃는지, 화내는지, 슬픈지,
기쁜지 눈을 보고 이야기한다. 환하게 웃는 미소를
보고 싶건만. 점심시간이 되어 급식소는 더욱 바쁘
다. 마스크를 벗고 식사를 해야 하는 관계로 300명
이 동시에 식사를 할 수 있는 자리엔 90명이 거리를
두고 앉아 식사를 한다. .학생들의 줄서기를 지도하
는 선생님, 자리를 안내하는 선생님, 학생들을 인솔
하여 오는 선생님 철저한 방역을 위하여 선생님들의
노력 봉사와 지극정성이 더 하여 전교생이 정해진
시간에 식사를 모두 하고 오후 일과의 원만한 진행
을 위해 당번을 정하여 매일 최선을 다하는 모습에
너무도 감사하다. 어느 한 곳에서 방역의 허술함이
생겨 양성환자가 발생한다면 우리의 공동체는 깨져
버린다. '거리 두기, 손 씻기, 마스크 착용하기'를 철
저히 지키면 코로나는 분명 퇴치 되리라 믿는다. 오

늘도 아침마다 '한 줄로! 한 줄로!'를 외쳐 댄다.

바등깍가엄톱
(손바닥/손등/깍지/손가락/엄지손가락/손톱)

바등깍가엄톱
바등깍가엄톱
친구야
너는 알고 있느냐
깨끗한 손 씻기
바등깍가엄톱

웃고 있는지
울고 있는지

난 네 얼굴을
맘껏 보고 싶은데

눈으로 말해도
네 맘 알겠지만
난 보고 싶어
환한 너의 미소를

개미 칼국수

이팝나무 춤을 추는 날
개미 국수집으로

간장치고 뜨거움을 식히며
한 젓가락
후루룩

땡 초 하나
화끈하게
접수하니
뜨거움과 매움이
불타오른다.

30년이 지나도
변하지 않는
칼칼 개미 칼국수

진한 국물 속엔
사랑과 정성
그리고
그리움이 담겨 있다.

변하지 않는 책가방 무게

-1교시, 0교시 수업을 위해 이른 아침 학교에 가 밤늦도록 야간자습을 하고 집으로 향하던 20여년 전 고등학교 모습은 이제 사라졌다. 요즘 고딩들은 아침 8시가 지나 등교를 하고 자습 선택권이 주어져 전교생의 절반은 야간자습을 하지 않는다. 2022년 현재 오후 수업이 끝나면 학교엔 하교하는 부류, 학교급식을 하고 남아 자습하는 부류로 나뉜다. 집으로 가는 학생들은 저녁을 먹은 후 독서실, 학원, 과외 등을 위해 또 가방을 메고 나가는 경우가 대부분을 차지한다. 하교라고 그냥 집에 가는 것이 아니다. 또한 학교에 남아 자습을 하는 학생들 역시 곧장 집

으로 가는 학생이 있는가 하면 학원으로 그리고 과외를 받으러 간다. 집으로 돌아가는 아이들의 어깨는 무겁다. 아침 일찍 등교는 하지 않았지만 그리고 야간자습을 하지 않고 일찍 귀가는 하였지만 예나 지금이나 마지막 대문 열고 집으로 돌아가는 시간은 마찬가지인것이다. 왜 이토록 우리 대한민국 고딩들은 하루를 힘들게 살고 있을까? 그것은 학부모들의 자식에 대한 기대감과 자녀들의 미래설계를 위해 미리 투자하는 교육열에서 비롯된 것이다. 공부만 잘하면 된다는 옛 사고방식을 아직도 버리지 못하고 있기 때문이다. 명문대학을 나오고 번듯한 직장을 다녀야 출세했다고 믿는 우리의 획일적 사고방식이 변하지 않는 한 아이들의 어깨는 늘 무거운 무게에 짓눌려 살아가야 할 것이다. 자신이 하고 싶은 일을 즐겁게 하며 살아가는 세상. 대학을 나오지 않아도 되는 세상. 우린 분명 머잖아 보게 되리라 확신한다. 왜냐하면 인구절벽시대를 맞이하여 노동력부족 등 사회문제가 더 크게 피부에 와 닿게 될 것이기 때문이다. 대학 정원보다 수험생이 더 줄어든 세상을 우린 당장 맞이하고 있다. 합계출산율이 0.08%로 OECD국가 중에서 출산율이 가장 저조한 국가가 되었다. 중위연령이 2021년 기준 44세로 늘어 가는 대한민국이 되었다. 1991년 중위연령이 28세인 때 김광석의 서른즈음에 라는 노래가 인기를 끌었던 적이 있었다. 30세가 되면 모두 결혼하고 자녀를 낳고 부모를 모시는 가장으로서 책임감이 무거운 시기였다. 그러나 지금은 다르다. 젊은이들은 대학 졸업 후 취업난을 겪고 있고 계약직이라는 굴레에서 고뇌하며 살아가고 있다. 서른이 넘어도 직장이 없고 학력은 풍선이 되어 대학원 졸업 실업자가 넘치는 세상이 되었다. 이런 현상이 나타나게 된 것은 베이비붐 세대들이 자리하고 있는 사회구조에 끼어들 수 없는 상황이 발생하였기 때문이다. 이젠 달라진다. 베이붐 세대들이 떠나고 있기 때문이다. 시대적 상황에 따라 90년대생이 그 자리를 차지하고 있는 것이다. 2000년대 이후 태어 난 세대들은 과연 어떻게 될 것인가? 아직도 옛 베이비붐 세대의 희망적 삶을 위해 몸부림치던 모습, 오직 성적만을 위한 학습이 과연 옳은 것인가? 한해 30여만명에 불과한 신생아 출생을 보면서 미래 대한민국사회구조의 모습이 걱정스럽다. 노력하는 삶은 되어야겠지만 아직도 학력지상주의에 허덕이며 성적향상만을 위해 학원으로 내 몰리는 고딩들을 보면서 미래설계를 해야 하는 우리의 방향성이 아쉽기만 하다. 일찍 하교를 하여 자신의 취미와 특기를 살리는 진로 교육이 더 필요한 시기가 아닌가 생각해 본다.

선생님은 꿈과 희망을 주는 존재

봄이면 산 새 지저귀는 고개를 넘고, 얼었던 냇물이 녹아 졸졸 흐르는 산비탈을 돌아, 새싹이 움트는 논둑길을 따라 걷노라면, 어느새 면소재지에 위치한 중. 고등학교에 도착하게 된다. 중학교는 한 학년이 240여 명이나 되었고, 고등학교는 한 학년이 100여 명에 이르는 시골치고는 꽤 학생이 많던 7080시절이었다. 우리 집은 면 소재지에서 산을 하나 넘어야 되는 아주 작은 시골마을이다. 아침 등굣길에 마주하는 산길은 사계절마다 색다른 풍경을 자아내었으며, 교복을 입은 친구들과 산새들이 함께 재잘대던 길이었다.

낯선 사람들을 잘 볼 수 없던 시골에서 우리는 3월 새봄이면, 커다란 기대감과 설레는 만남을 기대하곤 하였다. 시골임에도 불구하고 매년 참 많은 여선생님이 새로이 부임하시는 모습들이었다. 어린 친구들과 함께 운동장에 모여 아침 조회시간에 소개되는 선생님들의 모습에 우린 환호성을 질렀다. 서울에서 오신 선생님, 대구에서 오신 선생님, 모든 분들이 도회지에서 오신 분들인지라 피부가 참 하얗고 고왔다. 그러다가 다시 한 해가 되면 다른 도회지로 전근을 가시는 분들이 계셨고 새봄이면 으레 또 우린 새로 오시는 선생님들을 기대하며 즐거움을 토했다. 이와 반대로 선생님들께서는 지금 생각해 보면 낯선 산골에서 징역살이를 하시다가 도망치듯이 떠나신 것이라 여겨진다. 정들만 하면 떠나버리는 선생님, 적막감이 감도는 산골 속의 겨울은 도회지에서 생활하다가 오신 선생님들에겐 낯설었으리라 생각된다. 중학교 학생들 역시 고등학교만큼은 더 큰 도회지에서 생활하고자 중학교와 병설학교인 인근 고등학교를 제쳐두고 도회지로 나가서 자취를 하며 고등학교 생활을 하는 분위기였다. 형편이 넉넉하지 않은 우리는 동생들과 함께 마을 인근에 위치한 초등학교와 산을 넘어야 갈 수 있는 중. 고등학교를 6년 동안 산길을 걷고 고개를 넘어 시냇가를 휘돌아 면소재지로 향했다. 지금도 눈 감고 있노라면 그 길을 걷고 있는 듯하다.

여전히 겨울이면 떠나고 새봄이면 새로 부임하시는 선생님들....뚜렷한 목표 의식도 없이 그 길을 걷던 고등학교 1학년 나에겐 새로운 희망이 생기게 되었다. 오랜만에 씩씩한 남자선생님이 오신 것이다. 덩치도 얼마나 크신지 100kg은 훨씬 넘어 보였다. 유도를 전공하고 오신 체육 선생님이었다. 축구를 좋아하고 배구 운동을 즐기던 나에겐 체육 선생님이 큰 기둥이었다. 운동을 좋아하고 학급 실장을 맡고 있는 나의 모습이 선생님 눈에 띄게 된 것이다. 선생님들과 별로 대화를 나누지 못했던 나에게 있어

체육 선생님과 가까이하면서 가족 관계부터 시작하여 취미, 학업에 관해 대화를 나눌 수 있었고 선생님의 적극적인 지원으로 축구팀을 조직하여 인근 군 소재지에 나가 대패하고 돌아오는 쓰디쓴 추억도 만들었다. 지금 내 자신이 우물 안 개구리임을 처음 느낀 시간이었다. 그리고 군 소재지의 넓고 넓은 공설운동장에서 시합을 하면서 상대팀의 대대적인 응원을 위한 학교 밴드 등을 보면서, 그때 촌놈이라는 자책감이 들기도 하였다. 나 자신이 속한 학교 분위기와는 사뭇 달랐다. 갑자기 자신감이 없어지고 무력감에 혼돈이 일기 시작하였다. 중학교 졸업 후 도회지로 나가지 못한 환경이 서럽고 화가 치밀어 올랐다. 앞으로 계속 이곳에 남아서 무엇을 할 수 있을지 막막했다. 미래가 보이지 않았다. 공부보다는 조퇴를 하고 농사일에 보탬이 되는 시간이 많아지고 경쟁자를 볼 수 없는 자연과의 생활이 싫증 나기 시작하였다. 이곳에서 탈출하고 싶은 마음이 요동을 쳤다. 이후 어렵게 마음을 다스릴 수 있었던 건 체육 선생님께서 따스한 손길을 내밀어 주신 덕이었다. 세월이 흘러 나 자신이 학교 현장에 근무하면서 나도 학생들과 함께 할 수 있는 문화를 만들고자 2003년부터 10년 동안 학반테마여행을 고향인 문경으로 추진하여 실천해 왔다. 문경새재를 직접 걸어넘으며 조선시대 청운의 꿈을 안고 한양으로 향하던 선비들의 모습도 상상을 해 보고 고등학교 시절의 추억을 만들어 주고 싶었다. 학생들 역시 다른 반에서 행하지 않는 특별한 행사에 관심이 많았고 즐거워하는 모습들이었다. 지금 나의 초. 중. 고 모교는 모두 사라지고 없다. 학생들로 북적이던 7080시절의 초. 중. 고등학교의 운동장. 초등학교를 시작으로 폐교가 되더니 1,000여명으로 북적이던 중, 고등학교도 어느 날 문을 닫고 말았다. 까까머리 소년에게 꿈과 희망을 심어 주신 체육 선생님. 가끔씩 전화를 통하여 인사를 드리곤 하지만 나의 마음속엔 늘 지금도 희망이시다.

고등학교 시절(右)

별들이 춤을 추는 밤

후덥지근한 여름 기온이 사그라지는 저녁 시간이면 가족들과 옹기종기 둘러앉아 저녁을 먹고 소화도 시킬 겸 자연스럽게 발걸음은 동네 어귀로 향한다. 동네 어귀엔 100년이 된 참나무가 덩그러니 서 있고 그 앞으로는 맑은 시냇물이 졸졸 흐른다. 70년대 새마을사업 일환으로 만든 나지막한 다리 위에 서 있노라면 사방에서 불어오는 시원한 바람이 마음을 편안하게 해 준다. 금방 땅거미가 몰려 와 주변은 어둠으로 변하고 숨바꼭질하다 나타나듯 하늘엔 별들이 모습을 드러낸다. 다리에 벌렁 누워 하늘을 본다. 낮에 달궈진 시멘트 다리 상판의 온기가 등에 후끈 느껴온다. 다리 밑으론 시냇물이 졸졸 흐르고 이보다 더 근사한 침대가 어디 있으랴? 은하수 행렬이 쏟아지는 밤하늘을 손바닥으로 가려본다. 산으로 둘러 있는 하늘은 조그만 항아리 뚜껑처럼 동그랗다. 동그란 하늘 중앙에서 한쪽으로 한 획을 획 그으며 떨어지는 별똥은 아름답고 시원하게 느껴진다. 다리 한쪽에선 동네 어르신들이 옹기종기 모여 담배도 피우시고 부채질하며 뜨거운 여름밤의 열기를 식히고 계신다. 그러다 보면 하나둘 동네 친구들도 모이고 금방 다리 위엔 그룹이 형성되어 오순도순 하루의 일과가 화두 되어 시끌벅적해진다. 가끔 다리 위를 오가는 얄미운 차가 나타날 때면 모두 일어나 통로를 만들어 준다. 이야기꽃을 피우다 보면 한쪽에선 잠을 청하기도 하고 사방이 조용하여 일어나 보면 모든 사람이 집으로 들어가고 혼자서 적막한 공기를 감싸 안고 누워있기가 일쑤이다. 이슬이 내려 옷이 눅눅하게 느껴진다. 공허함이 밀려오는 순간이다. 저녁 시간 맑은 공기를 느끼기보다는 물 건너 공동묘지에서 다가오는 이상야릇한 기운을 느끼게 된다. 100년이 다 된 참나무도 어둡게 서 있고 하늘에 펼쳐져 있는 별들도 모두 나를 걱정스레 지켜보고 있는 것만 같다. 황급히 몸을 세워 집으로 들어오노라면 자꾸만 누가 뒤를 따라오는 것만 같다. 대문을 열고 집안에 서면 그제야 마음이 놓인다. 봉당을 밟고 올려본 하늘에선 여전히 별들이 춤을 추고 있다.

모깃불

마당에 멍석을 펴고 저녁을 먹던 모습이 생각난다. 무더운 여름 좁은 마루 공간을 벗어 나 마당 한가운데 멍석을 펴 놓고 식구들과 함께하는 저녁 식사는 편안하고 넉넉한 여유로움이 있었다. 반찬은 찐 호박잎과 된장찌개, 감자찌개 아니면 가지를 삶아 쭉 찢어 양념을 히고 얼무와 보리밥을 비벼 먹던 생각이 난다. 무엇보다도 모기를 물리치기 위해 마당 한 쪽엔 보리 타작을 하고 남은 이삭 찌꺼기와 왕겨에 불을 붙여 연기를 내었다. 연기가 밥상으로 몰리기라도 하면 눈물이 앞을 가려 밥이 코로 들어가는지 입으로 들어가는지 분간이 가질 않았다. 하지만 모깃불 속에 넣어 둔 감자가 익어가는 모습을 상상하면서 저녁을 맛있게 나물에 비벼 먹었다. 밥상을 물리고 멍석 위에 엎드려 어머니의 부채질과 아버지 어머니의 대화속에는 멀리 타향에 가 있는 누나들과 우리들의 이야기로 가득 채워져 있다. 근심과 걱정이 더 많았던 이야기들..... 타닥타닥 타들어 가던 감자가 익어 여름밤의 허기를 채워 주었다.

아버지

예전 고향을 찾아 아버지와 술잔을 나누다 보면 불쑥 "고맙다."라고 말씀을 자주 하셨다. 아마도 매달 부모님을 찾아서인가 보다. 아내는 다소 불만이 있었으리라 생각된다. 남들은 가족과 함께 여행을 다니기도 하는데 우린 신혼에도 여름방학, 겨울방학이면 열흘씩 고향 집에 머물며 부모님과 시간을 함께 보냈다. 결혼 초 재래식 부엌에서 나무로 불을 지펴 밥을 하였고 화장실은 재래식 화장실로 도회지에서 생활한 아내는 참 힘들었으리라 생각이 든다. 부모님은 이런 며느리의 모습을 보시고 애처롭고 흐뭇해하셨다. 훗날 아버지는 병원에서 혼미한 의식임에도 며느리를 보고 "고맙다."라고 말씀을 하시던 마지막 모습을 잊을 수 없다. 아내의 진심 어린 행동들을 마음에 두고 계신 것이었다. 어려운 가정형편에 우리 삼형제는 지금은 폐교가 되어 없어진 시골 중학교, 고등학교를 다녔다. 경제적으로 도회지에서 공부할 여력이 없어 나가지 못했지만 나름 시골에서 최선을 다하여 공부하였고 지방에서 대학을 다녔지만 자긍심을 가지고 미래를 설계하며 청춘을 불태웠다. 바로 아래 동생은 현재 초등학교 교장선생님이 되었고 막내동생은 국방부 공무원으로 근무 중이다. 부모님은 늘 우리들이 자랑이었다. 친구분들과 5일장에 가시면 막걸리값을 내셨고 성실하게 살아가는 아들 삼형제에 대한 신뢰감이 무척 크셨다. 우리 아버지는 6. 25전쟁으로 친동생을 잃으셨고 누님 한 분이 충북 제천에 사셨다. 할아버지 때에 충북 옥천에서 이곳 문경으로 이사를 오셔서 남의 집 땅을 빌려 일구었으며 모내기 때엔 품앗이를 하루도 거르지 않으실 정도로 부지런하고 힘든 삶을 사셨다. 이렇게 번 돈으로 논 다섯 마지기를 일구며 자식들 뒷바라지하시고 평생을 고생만 하시다가 아흔넷에 돌아가셨다. 아버지와 나와의 나이 차는 44살, 막내 동생은 무려 쉰 살의 나이 차가 난다. 아버지는 매우 강직하셨고 매사에 빈틈이 없는 분이셨다. 한학을 통하여 글자를 배우셨고 웬만한 한자는 모두 통달하고 계셨다. 남들보다 부지런하신지라 겨울철엔 우리 집 나뭇가리는 초가지붕만큼이나 높았다. 늘 반듯한 모습으로 정돈하여 쌓아 두셨고 나무를 빼 땔감으로 사용할 때면 가지런하게 빼지 않으면 혼이 났었다. 평소 엄하시고 늘 최선을 다하는 삶을 사시는 모습에 우리 형제들은 아버지의 눈에 벗어나지 않고 묵묵히 제 할 일에 최선을 다하였다. 아버지께서는 80이 되시던 해 이른 새벽 나를 깨워 동네 보안으로 데리고 가셨다. 그곳엔 포크레인이 트럭으로 싣고 온 흙으로 땅을 돋우고 있었다. 아버지께서는 이곳이 당신의 자리라고 하시는 것이다. 당황스러웠다. 당신이 묻힐 자리를 준비하고 계신다는 생각에 갑자기 울컥하였다. 이후 아버지께서는 이곳에다가 깨도 심고 밭으로 일궈 활용을 하셨다. 14년을 이렇게 더 사시다가 홀연히 노환으로 세상을 떠나셨다. 지금은 차를 타고 내리면 부모님 산소를 만난다. 동네 어르신들은 운동 삼아 늘 부모님 산소 앞을 지나 다니신다. 부모님은 매일 동네 사람들을 만나고 계시는 것이다. 햇볕이 잘 들어 겨울에도 눈이 내리면 금방 녹아 없어진다. 자손들이 평소 쉽게 찾을 수 있는 명당 중의 명당이다. 아버지는 살아 계실 때나 돌아가셨을 때나 자식들의 걱정을 미리 챙기시고 모든 일 들을 준비하고 실천하신 것이다. 책임감 있게 사는 자는 반드시 행복한 삶을 이루게 된다는 아버지의 지혜로움이 더욱 그리워지는 시간이다.

아버지 팔순 (1997. 5.)

아버지께서 보내 주신 편지(1989년)

(편지 내용)

　　- 규완이 보아라

　소식 들은 지 한 달이 되어 궁금하던 중 너의 편지와 금액을 받아보니 반가운 마음 비할 데 없구나. 그동안 객지에서 몸이나 건강한지 모든 일이 궁금하다. 부디 집 걱정은 하지 말고 몸조심하여 앞날에 희망을 안고 노력을 하기 바란다. 그리고 아이들한테 교육도 철저히 진행하며 순조롭게 교육을 바라고 모든 학업을 열심히 노력하여 장래 성공 길로 나가기를 이 부모 된 마음이다. 차처(이곳)에 있는 나는 너의 염려 하는 덕택으로 가정도 여전하고 동규는 휴학을 내고 요사이 집에 와 있고 군 지원을 하여 양력 5월 중순에 갈 예정인데 날짜는 확실히 지정이 안 된 모양이다. 쓸 말은 다음 상봉 시 담화하기로 하자.

　(1989년 4월 17일 부 답서)

어머니

I

인간극장을 보노라니

집 밖을 나서는 구순 어머니를 아들이 손을 잡고 이끈다.

그 옛날 아들에게 아장아장 걸음마를 외치던 엄마가
이젠
아들, 엄마의 자리가 바뀌어 걷는다.

일장춘몽이로다
아들, 딸들에게 희생한 세월
모진 세월 견뎌 내고
이젠 아장아장 아이가 되어 따라나서는 구순의 노모
눈물이 난다.
아! 이것이 인생이런가.

Ⅱ
저녁노을 피어오르고
밥상머리에 앉아 전쟁을 치루던 시절
엄마는 밥을 안 드셔도 배가 고프지 않은 줄 알았
다.

엄마 눈에 늘 눈물이 가득해도
바느질하며 눈이 침침하다고 해도
엄마는 당연히 그런 줄 알았다.

밭일하고 허리가 아프다고 해도
치아가 아프다고 해도
그냥 엄마는 철인이라 생각했다.

참 빗으로 쓸어내려 빠진 머리카락
엿장수 올 때 엿 바꿔 주시던 어머니
세월의 무게에 빠져 버린 머리카락인 줄도 모르고

너무
죄송하고 죄송하다.

세월이 흐르고
이제 철들고 나니
엄마는 마음속에만 계신다.

고향 마을 어귀에서 어머니와 함께(1990년)

이젠 모두 돌아 가시고 그리움만~~

평생 반려자를 만나다(1992. 4.)

한평생 살아가는 반려자를 만나는 건 하늘이 맺어 주는 것이 아닌가 생각한다. 고향을 갈 때마다 부모님께선 결혼을 재촉하신다. 일흔이 넘은 아버지께서는 나이를 자꾸 먹는 아들이 장가를 못가는 건 아닌지 걱정스러우신가 보다. 주변에 지인들이 중매를 하여 선을 여러 번 보았지만 마음이 잘 가지를 않는다. 그러던 우연한 기회에 잘 아는 아주머니께서 인근에 참한 아가씨가 있다고 소개가 들어왔다. 만나고 보니 아주머니 말씀대로 인상이 착하고 차분한 성격을 가졌음을 알 수 있었다. 인성은 마음에 드나 결혼에 대한 마음이 별로 없고 다정다감한 성격이 되질 못한 나로서는 결국 이 또한 스치는 인연으로 넘기고 말았다. 이로부터 1년이 지난 초겨울쯤에 옆방에 살고 있는 같은 신세의 총각 선생님이 퇴근 후 맞선을 보러 간다는 것이다. 근데 맞선 보러 간 선생님으로부터 주인집으로 전화가 걸려 왔다. 이유 불문하고 나오라는 것이다. 남 선보는데 뭐하러 가냐고 대꾸를 하였지만 막무가내로 나오라며 전화를 끊는다. 특별히 할 일도 없고 갑자기 어떤 사람을 만나고 있나 궁금도 하여 집을 나섰다. 시내버스를 타고 맞선 장소인 남빈동 지하에 있는 다방에 들어서며 놀라움을 금할 수 없었다. 맞선을 보고 있는 상대방은 내가 1년 전 맞선을 본 그 여성분이 아니던가. 어쩔 수 없이 모른척하고 자리에 함께하였다. 여성은 당황스러웠던지 곧바로 자리를 피하여 화장실로 가는 듯. 이때 왜 나를 불러냈냐고 동료 선생님에게 물었더니 만나고 보니 동성동본인지라 처녀가 굉장히 좋은 사람인듯하여 나에게 소개를 시켜 주려고 불러냈다는 것이 아닌가. 이로써 우리는 처음 만난 후 1년이 흐른 후 다시 두 번째 맞선을 보게 된 것이나 다름없는 인연이 된 것이다. 참 세상사 좁다. 집에 와서 곰곰이 생각하니 이것이 바로 인연이 아닌지 마음이 끌리기 시작한다. 이 기회에 다시 한번 더 만나 보기로 하였다. 만나 볼수록 마음씨가 참 고운 사람이었다. 부모님과 정미소를 운영하는 오빠 부부, 조카들과 함께 살며 동네에서도 화기애애한 가족이라고 소문이 자자하다. 먼 포항까지 와서 드디어 나의 반려자를 맞이하게 되었다. 따뜻하게 맞이해 주시는 가족들의 애정은 그야말로 벅찰 정도로 뜨거웠다. 인연이 이렇게 가까이 있었단 말인가. 행복한 순간이다.

상견례(相見禮)

요즘은 친구들이 혼주가 되어 자식들 혼사 직전 상견례를 많이 하고 있어 문득 옛 생각이 나 몇 자 적어 본다. 상견례는 서로 공식적으로 만나 보는 예를 말한다. 결혼 직전이나 단체 조직 모임의 임원들이 바뀔 때 주로 행해지는 행사이다. 예전엔 결혼할 나이가 되면 중매가 중간에 나서 서로 소개를 하고 공식적으로 양가 부모와 신랑 신부 될 사람이 만나 인사를 나누었는데 요즘은 조금 다른 양상으로 서로가 짝을 찾고 연애를 하여 부모님을 함께 인사시키는 상견례로 문화가 바뀌어 버렸다. 예전 나의 결혼 상견례는 이러했다. 결혼할 당시(1992년) 내 나이 31살, 시대적 상황으로 보면 조금 늦은 나이였다. 아버지는 일흔을 훌쩍 넘기셨고 어머니는 10분만 차를 타도 멀미를 하시는 바람에 집을 나서기가 힘드셨다. 특히 포항과 고향 문경은 직통버스가 없어 4번이나 차를 갈아타야 올 수 있는 당시 상황이었다. 아내를 먼저 고향 문경에 데리고 가 부모님께 인사를 드리고 허락을 받은 상태였는지라 처가 집 장인어른께 실례를 무릅쓰고 상견례 절차에 대해 많은 대화를 나누었다. 결혼은 당사자들의 의사가 가장 중요하고 사위 될 사람을 믿으신다면 결혼식 당일 포항 예식장에서 결혼식 직전 양가 부모님 상견례를 했으면 좋겠다고 씩씩하게 말씀을 올렸다. 당시 상황을 잘 인식하신 장인, 장모님은 쾌히 나의 의견을 들어 주시고 결혼식 당일 예식장 별도 공간에서 첫 대면을 하신 것이다. 그리고 1년이 지난 뒤 승용차를 구매하게 되면서 가장 먼저 장인, 장모님을 승용차로 모시고 고향 집을 방문 하였다. 부모님과 장인, 장모님은 오랜 시간 동안 담소를 나누셨다. 이후 남동생, 막내동생 상견례는 연로하신 부모님을 대신하여 으레 나와 아내가 참가하였고 형님, 형수님이 교통사고로 일찍 돌아가셔서 조카들 상견례 및 결혼식장에선 불혹 나이에 혼주석에 앉았다. 상견례는 서로를 염탐하는 것이 아니라 서로를 이해하고 존중하는 배려 문화가 아닌가 생각한다. 모든 예는 형식적인 절차가 아니라 진정성이 우선이라고 믿는다. 나의 의견을 존중해 주고 고향 부모님을 배려해 주신 장인, 장모님의 마음을 생각하면 지금도 감사할 따름이다.

시댁에 인사 오던 날(동네 어귀에서. 1992년)

포항을 방문하신 부모님(송도해수욕장)

산대조기축구회(1994. 9.)

'따르릉 따르릉' 새벽의 여명을 알리는 알람 시계 소리에 신병훈련소의 훈련병마냥 자리를 박차고 아파트를 나선다. 안강 우방아파트에 입주하여 축구를 좋아하는 사람들이 모여 조기 축구회를 결성하였다. 내 자신의 건강과 친목을 다지기로 약속하고 아파트 통로마다 회원모집 광고를 내었다. 지금은 40여명이 우방아파트의 새벽을 열고 있다. 올해는 '94 미국 월드컵으로 지구 전체가 축구의 열기로 가득 찼었고 우리나라가 비록 16강에는 진출하지 못했지만 정말로 고군분투하여 국민들의 가슴에 희망을 심어 주었다고 해도 과언이 아니다. 월드컵 축구를 보면서 볼을 다루는 선수들의 모습을 그냥 놓이지 않고 눈으로 익혀 아침 운동 시 좀 더 정성을 다하여 발에 공을 맞히려 무던히도 노력을 하게 된다. 축구를 그렇게 잘하지는 못하지만 조기회를 나가고 난 이후 과체중에서 가벼운 몸과 마음을 갖게 되었고 모든 면에서 생활의 활력이 넘치고 있다. 수업시간의 틈을 이용하여 아이들에게 오늘 아침 운동 시 한 골을 넣었다고 자랑을 하면 아이들은 힘찬 박수와 함성으로 응원을 보내 준다. 어떤 녀석은 선생님 포지션이 어디이며 어떻게 골을 넣었는지 상당히 축구에 관심을 나타내며 진지하다. 우리 팀 명칭은 '산대조기축구회'라고 칭하고 있다. 우리가 사는 지역의 행정지명을 따 붙였다. 요즘은 학생들을 가르치는 교단의 보람도 있지만 조기축구회에 나간 이후 또 하나의 보람이 생겼다. 축구를 통하여 몸을 부딪히고 넘어지고 그리고 손을 잡아 일으켜 세워주고 흐르는 땀방울을 서로 바라보며 따뜻한 인간애를 만끽하기에 이 또한 삶의 보람이 아니고 무엇인가. 각자의 직업이 다르고 나이가 다르지만 산대 조기축구회는 축구만을 위한 모임이 아니라 서로의 삶을 배우는 멋진 인생 교육장이라고 할 수 있다. 지난 6월 중순엔 안강읍 축구대회에 공식으로 처녀 출전하여 10팀의 막강한 대열 속에서 열심히 뛰어 3위 입상이라는 쾌거를 이루었고 김주식(포항가속기연구소)씨는 최다 득점상을 받았는지라 조기 회원들의 축하 파티는 밤늦기까지 시간 가는 줄 몰랐다. 오늘날 현대사회는 고독감과 소외감이 만연되어 있으며 옆집 사람들과 인사도 제대로 나누지 않는 삭막함이 자리하고 있는 것이 현실이다. 엘리베이트속에서 천장만 바라보며 서 있노라면 왜 그리도 더디게 올라가는지 옆 사람과의 무언 속에 가슴이 답답함을 느끼게 된다. 하지만 우린 다르다. 아파트 단지내에서 40여명의 회원과 인사를 나눌 수 있고 이렇게 운동을 마치고 어우러져 대화와 인정을 나눌 수 있게 되었기 때문이다. 이번 가을쯤엔 가족 체육대회도 열기로 의논이 이루어졌

기에 아내 또한 이웃을 사귈 수 있는 기회이고 웃음
과 건강이 넘쳐흐르는 한바탕의 잔치가 베풀어 지리
라 기대가 된다. 사람이 살아가는 데에 있어서는 취
미생활이 필요하다고 생각한다. 열심히 맡은바 직장
생활에 충실히 기할 수 있는 것은 그리고 행복한 가
정생활을 만끽할 수 있는 길은 건강이 뒷받침이 되
어야만 가능하다고 본다. 새벽공기를 마시며 운동장
을 달리는 회원들의 힘찬 모습에서 이 다음 시합때
는 꼭 골을 넣어 산대조기축구회의 발전에 기여 하
리라 다짐을 해 본다. 아침밥을 정성스레 차려놓고
기다리는 아내의 손길을 생각하며 그리고 오늘도 즐
거운 사회 수업을 기다리는 아이들의 해맑은 얼굴들
을 생각하며 힘찬 아침을 연다. 산대조기축구회 파
이팅!

경주시 안강연합회장기 대회 우승(1998년)

새천년이 열리다 (2000. 1. 4.)

새천년의 태양을 맞이하기 위하여 지난 12월31일에
는 동해 장기해수욕장을 찾았었다. 많은 사람들이
새천년을 맞이함에 그동안 새해를 맞았던 소감과는
사뭇 다른 기분들인 것 같았다. 처남 처형가족들과
함께 민박을 하면서 그동안의 삶을 나누고 아침 일
찍 일어나 바닷가로 향하였다. 도로는 차들로 꽉 차

있어 마치 주차장을 연상케 하였다. 그런데 이게 웬일인가. 구름이 잔뜩 끼어있어 찬란한 태양은 고사하고 구름과 함께 뿌연 아침이 열리고 있는 것이 아닌가. 그 순간 잠시 환호성과 함께 박수가 터져 나왔다. 구름 사이로 붉은 태양이 나타난 것이다. 처남댁은 어느새 두 손을 합장하고 기도를 하고 있었다. 모든 이들이 찬란한 새천년의 첫 태양을 향해 소원을 하였으리라. 이제 새해를 맞은 지도 나흘이 지나고 있다. 그동안 Y2K 문제로 인하여 금융기관도 어제까지 휴무에 있었고 많은 사람이 혼란에 대비하여 라면과 식량을 사재기도 하였다. 이제 모든 인식 오류의 걱정을 뒤로하고 여느 때와 마찬가지로 새천년의 시작이 순조로이 행진하고 있다. 한 세기를 마감하고 새로운 세기에는 많은 변화가 예상된다. 통일을 비롯하여 정치, 경제, 문화, 그리고 의식의 변화 등 참으로 많은 변화들이 다가올 것이다. 특히 무엇보다도 정치와 교육의 큰 변화가 있었으면 한다. 구태의연한 정치인들의 행태를 벗어던지고 참된 국민의 일꾼들이 이 땅에 나타 나야 하겠고 참된 인간 교육을 통하여 우리의 21세기의 주역들을 배출하여야 하겠다. 모든 분야에 권위 의식만을 앞세우는 20세기의 잘못된 전통을 벗어던지고 스스로 참여하고 모든 이들의 기회가 균등히 이루어지는 사회. 자율과 창의가 바탕을 이루며 첨단사회로의 그리고 정보화를 꾀하는 사회로 가기 위해 우리 모두가 노력을 하여야 되겠다. 새천년의 희망을 안고 우리 모두 열심히 정진 하자.

처가 괴정리 62번지(2000. 4.)

　장인어른이 돌아가셨다. 인생무상이다.
그렇게 호통치며 위엄하시던 장인이 돌아가신 것이다. 역사 속에 위인들이 가셨듯 우리 인생도 세월에 장사가 없는가 보다. 아내의 슬픔. 처가의 슬픔이 나의 가슴속에 깊이 스며든다. 타향 객지에서 그래도 따뜻이 대해 주시던 장인의 생전 모습이 눈에 아른거린다. 아직도 살아 숨 쉬는 거친 숨결이 들린다. 이승에서 못다 한 삶 저승에서는 평안히 아프지 마시고 천생의 삶을 누리시길 명복을 빌 뿐이다.
　포항시 남구 연일읍 괴정리 62번지는 늘 동네 사람들로 북적인다. 큰처남댁의 마음씨가 바다보다 넓다. 큰처남 내외분은 장인 장모님을 모시고 살아오셨다. 큰처남은 방앗간을 운영한다. 먼지를 달고 생활하고 있지만 입가엔 항상 부처님 같은 미소를 띠고 사신다. 출가한 동생들까지도 수시로 불러 함께 식사하고 가족애를 돈독히 추진 하시는 분이다. 동네 아주머니들도 낮으론 안방을 차지하며 하하 호호 세상 살아가는 이야기들로 하루가 메꾸어진다. 2남 4녀 우리 집사람은 그중 막내딸이다. 나는 고향에 가면 맞이의 역할을 해야 하는데 처가에서는 막내로서 장모 사랑을 듬뿍 받는 막내 사위이다. 신혼 초 퇴근길엔 집에서 아내가 기다림에도 불구하고 처가로 향하였다. 결국 아내도 처가로 오게 된다. 처가와는 걸어서 10여 분 거리이다. 처가와 가까이 살면서 장인, 장모님, 그리고 큰처남 처남댁의 따스한 사랑에 인생을 배운다. 자전거를 타고 출퇴근하며 연일시장에서 영 패션 옷 가게를 하는 처형을 만나니 모두가 가족이다. 고향이 문경이라 처가가 있는 포항에 살면서 행복감을 느낀다. 옷 가게를 운영하는 처형은 성격이 호탕하고 다른 사람을 배려하는 마음씨가 참 넉넉한 분이시다. 괴정리 62번지는 처가뿐 아니라 사촌, 외사촌, 그리고 동네 어르신들의 놀이터이다. 한마디로 사람 사는 따뜻한 공간이다. 장인어른이 조금 더 사셨으면 참 좋았을 텐데…"김 서방 술 한 잔 사줄까?" 장인 어르신의 말씀이 뇌리를 스친다.

아내의 초등학교 시절 운동회(1978년)

장모님(앞줄 가운데)과 처가 숙부, 숙모님

그리운 형수님

비 내리는 봄날 그리움이 밀려온다.

사춘기 어린 시절 방황하던 때 인생의 멘토가 되어 주셨던 형수님. 1986년 아시안게임이 열리던 해 교통사고로 형님과 형수님 두 분이 모두 돌아가셨다. 그때 나는 군에 입대한 지 8개월을 맞이하고 있었다. 말로 표현할 수 없는 아픔의 순간이었다.

형수님은 10남매 맏며느리로 시집을 오셨다. 고향이 대전이고 서울에서 생활을 하신 분이다. 형님과 나는 20년의 나이 차이가 난다. 그래서 형님 얼굴도 제대로 편히 본 적이 없다. 내가 태어나기도 전에 어려운 가정형편으로 중학교를 졸업하고 일찍 사회로 진출하셨다. 내가 초등학교에 들어갈 즈음엔 산전수전 다 겪고 버신 돈으로 서울 명륜동에서 조그만 안경점을 열어 놓은 상태였다. 1970년대 우리의 농촌은 격동의 시대를 맞아 농촌을 떠나 많은 젊은 이가 도시로 향하던 시대였다. 가정형편이 어려웠던 집안에선 당시 초등학교를 졸업한 여자아이들은 집에서 살림을 돕거나 도회지로 나가 남의 집 식모살이를 하였으며 아니면 섬유 공단에 취직하여 돈을 벌어 집으로 송금하고 살림에 보탬이 되고자 자신을 헌신하였다. 우리 집 누나들도 모두 이웃집 친구 누나들과 마찬가지로 어린 나이에 도회지로 나가 직장에 다니며 돈을 벌었다. 지금은 상상조차 할 수 없는 일이었다. 난 시골에서 어린 시절을 자연 속에 파묻혀 살았다. 형수님은 친절하였으며 서울 말투가 참 신기하게 여겨졌다. 외부인들을 잘 볼 수 없었던 어린 시동생은 방 한구석에 서서 새로이 온 손님을 경계하며 지켜보고 있었다. 아들 같은 어린 시동생이 셋이나 있는 형수님의 마음은 어떠했을까? 큰조카와 나는 여섯 살 밖에 차이가 나질 않았다. 막내 아우와 큰 조카는 동갑이다. 형수님은 방 청소를 하면서 살며시 웃으셨다. 경계심을 늦추지 않던 어린 시동생은 조금씩 마음이 풀렸다. 서울에서 온 손님 자체가 너무도 신기하고 동네 아이들에겐 자랑스럽기도 한 존재였다. 이때 우리는 형수님을 경상도 사투리로 아지매라고 불렀다. 일명 '서울 아지매'로 통하였다. 서울 가는 버스가 하루에 한 번밖에 없던 시절인지라 서울 아지매를 볼 수 있는 날은 그다지 많지 않았다. 형님은 명절이 되어도 시골에 오지 않고 돈을 더 벌기 위해 다른 사람들이 노는 휴일에도 가게를 열었다. 대신 서울 아지매가 조카를 업고 먼 길을 명절에 한 번씩 힘들게 다녀가셨다. 아버지께서는 이런 형님이 못마땅하셨다. 추석과 설날에 다녀가는 이웃집 아들딸들이 부러우셨던 거다. 이젠 돈도 좀 벌었으면 고향에 논도 사고 밭도 사들였으면 하는 속내가 있으셨다. 어렵게 시댁을 찾아온 며

느리에게 늘 푸념을 늘어 놓으셨고 못마땅함을 말씀하셨는지라 서울 아지매는 송구한 마음에 늘 눈물을 훔치고 서울로 올라가셨다. 고개를 하나 넘어야 시외버스터미널이 있는지라 나는 짐 보따리를 들고 서울 아지매 뒤를 따라 배웅을 해 드리고 돌아오곤 하였다.

1980년 7월엔 얼마나 많은 비가 내렸는지 마을이 생긴 이래 가장 많은 비가 내렸다고 어르신들이 말씀하시는 걸 들었다. 동네 주민들은 급기야 산으로 피난을 가야 하였고 마을은 홍수로 인해 폐허가 되어 버렸다. 집은 무너져 내렸고 마을 길도 사라지고 아수라장이었다. 텔레비전 뉴스에서 보던 광경을 직접 경험하게 될 줄이야. 그렇게 시골에서 다닌 고 3 시절은 순식간에 흘러가 버렸다. 막막했다. 나 자신에게 반문해 보았다. 졸업식 날 텅 빈 교실에서 혼자 참 많은 눈물을 흘렸다. 졸업 후 아주 짧은 시간 동안 인천에 있는 목재소에 취직을 하였고 통나무를 나르는 일을 하였다. 객지에서 육체적 노동은 너무 힘들었다. 집이 그리웠다. 결국 수해로 인해 공사장이 많았던 고향으로 내려와 다리 건설 공사장에 나가 막일을 하였다. 동네 형들도 많이 다녔는지라 위안이 되었다. 새참이 되면 막걸리도 한잔 먹고 취기가 달아올라 힘도 나고 열심히 일을 하였다. 내가 맡은 일은 질 통을 짊어지고 모래를 나르는 일이었다. 어깨가 아팠지만 두어 달을 그렇게 아무 생각 없이 다녔다. 쉬는 시간 벌렁 자리에 누워 흘러가는 구름을 쳐다보며 상념에 젖어 있노라니 내 신세가 참 한심하게 느껴졌다. 누군가에게 도움을 받고 싶다는 생각이 머리를 스쳤다. 바로 서울 아지매였다. 편지를 썼다. 난 서울 아지매를 이때부터 형수님이라고 불렀다. 형수님께 매달렸다. 내 자신의 암울한 현실에 대해 토로했다. 내 마음을 헤아려 주신 형수님 덕분으로 그해 8월 서울로 향했다. 형님이 다소 나에겐 불편한 존재였지만 지금은 형님에게 의지할 수밖에 없는 상황이었다. 형수님은 돈암동에 있는 학원에 등록을 해 주셨다. 얼마 남지 않은 입시 기간이었다. 형수님은 매일 도시락까지 준비해 주시고 진심으로 도와주셨다. 어느 날 학원을 나서려는데 형수님과 조카가 현관에서 나를 기다리고 있었다. 돈암동에서 명륜동까지 걸어가노라면 약 30-40분 정도 걸린다. 난 버스보다도 걸어 다니는 걸 즐겼다. 여름철 가로수 잎은 더욱 싱그러웠고 혜화동 로타리까지 이어져 있었다. 그 길을 걸으며 참 많은 생각을 하였다. 형수님은 전문가는 아니셨지만, 미술작품으로 유화를 많이 남기셨다. 때론 밝고 소녀처럼 삐지기도 하시고 어린 시동생에 맞추어 어리광도 부리기도 하셨다. 난 말수가 적고 무뚝뚝했지만 형수님의 사랑이 너무도 감사하였다. 거리를 걸을 때 한상

내 팔을 잡으셨다. 형수님의 손길이 참 따스하였다. 나이 차가 10년 이상 났지만 누님 같이 언제나 내 편이 되어 주셨다. 스산한 가을바람을 맞으며 돈암동에서 혜화동로타리를 돌아 걸어오노라면 참 운치가 있었다. 어디선가 최백호 노래가 흘러 나왔다. 참 애절한 노래였다. 가슴을 파고들었다. '가을엔 떠나지 말아요. 차라리 하얀 겨울에 떠나요.' 형수님과 조카는 학원을 마칠 즈음이면 1층 입구에서 나를 기다리고 있었다. 가끔은 내 뒤를 미행하면서 장난삼아 따라오기도 하였다. 공부를 잘하고 있는가에 대한 감시이기도 했고 장난 끼 있는 형수님의 배려였다. 어느새 가로수는 단풍이 들고 가을 끝자락으로 치닫고 있었다. 학원을 마치고 삼선교를 지나 언덕을 넘어 혜화동 로타리로 이어지는 길을 걸어가면서 살아 온 시간들...그리고 앞으로 어떻게 살아갈 것인지.... 형수님은 늘 나의 조언자로 곁에 계셔 주었다. 덕분에 난 청주에 있는 대학으로 진학을 하였다.

형수님은 매달 청주를 다녀가셨다. 형수님은 젊은 이들의 열정을 사랑하셨다. 그리고 자연에 대한 변화에 대해 감상을 좋아하시고 스케치하셨다. 가을엔 낙엽 밟기를 즐기셨고 낙엽을 주워 서울로 가져가셨다. 친구들과 커피숍에 들러 함께 차를 마시면서 삶의 조언을 해 주시기도 하셨다. 감성에 치우쳐 제자리를 찾지 못하고 갈팡질팡하는 어린 시동생을 만나면 가로수 길 벤치에 앉아 많은 대화를 나눠 주셨다. 대학 4학년이 되어 교생실습을 나갈 즈음엔 난 생처음으로 양복점에 들러 양복을 맞춰 주셨다. 난 감색 양복을 한 달 내내 입고 다니면서 뽐을 내었다. 대학로 미술관 전시회에 함께 가 주셨고 세종문화회관 소극장에서 열린 연극에도 손을 이끄시어 눈을 더 크게 뜨고 세상을 보게 해 주셨다. 형수님은 내 인생의 은인이시다. 서울에서 군 생활을 하였는지라 입대를 한 후 형수님은 두 번의 면회를 다녀가셨다. 형수님은 몸이 많이 약하셨다. 내색은 잘 하지 않았지만 허리가 늘 아프고 환절기엔 감기를 자주 하였고 밥도 잘 드시지 않았다. 옷차림은 수수하였고 동대문시장에서 값싼 옷을 즐겨 입으셨다. 하지만 누구라도 형수님의 복장은 비싼 백화점에서 구매했을 것이라고 착각하였다. 왜냐하면 형수님은 아름다우셨고 몸에 맞게 옷을 잘 챙겨 입으셨기 때문이다. 출타 시 양장을 하셨고 바지보다는 단정하게 치마를 즐겨 입으셨다. 형수님이 너무 아름다웠고 친구들도 이런 형수님을 둔 나를 부러워하였다. 형수님은 나에게 참 많은 것을 보여주고 싶어 하셨다. 남산, 동대문, 남대문시장...그리고 화신백화점, 롯데, 미도파 백화점....그리고 덕수궁, 창경궁 돌담길, 대학로....형수님의 다정하고 상냥한 말투와 구두 발자국 소리가 지금도 들리는 듯하다,

이제 난 형수님이 살아 계셨을 때 보다 훨씬 나이가 많다. 남을 배려하고 이해하고 나누는 일이란 참 어렵다는 걸 느낀다. 언제나 용기를 주셨고 편지 답장을 보내 주신 형수님. 아직도 곁에서 지켜보고 계신 것만 같다. 나라는 존재, 자존감을 가지고 살아가게 해 주신 분. 어려운 시기에 인생의 멘토가 되어 주셨던 형수님. 한없이 보고 싶고 그리운 분이다.

형님, 형수님 모습

고디(올갱이)

문경에서 택배가 왔다.
문경 가은에 사시는 누님께서 고디를 보내셨다.
마음이 찡해온다.

어린 시절 고디를 참 많이 먹었다.
냇가에서 주워 온 고디
밤엔 손전등을 들고 고개를 내민 고디를 종다래끼에
주워 담았다.

이른 아침
고디를 삶아 내면 마을 어귀 탱자나무 가시를 꺾어
와 고디살을 빼내었다.
고디 삶은 물은 새파랗다.
아욱, 토란과 밀가루를 풀어 넣고 고추장, 마늘 양념
을 넣어 끓인 고디 국
시골에선 봄, 여름, 가을에 걸쳐 늘 밥상 위에 올랐
다.

이젠 하천이 오염되고
고디를 주워 담는 아낙들도 보기 어렵다.
고디 국을 맛보기도 참 어려운 때이다.

고향 내음이 물씬 풍겨오는 고디 국
누님의 정성이 담긴 고디를 까면서 그리움이 밀물
되어 온다.

고향 친구

　어린 시절 물장구치고 소 풀 먹이며 갱빈(강변)에
서 나 뒹굴던 친구. 여름이면 부풀린 비료 포대에
배를 깔고 물장구치며 놀았다. 고사리손으로 좁은
도랑을 막고 가재·미꾸라지 잡아 집에 오면 엄마가
냄비에 자글자글 찌개 끓여 주시고 찬밥하고 먹다
보면 콧잔등엔 송골송골 땀이 맺혔다. 얼음이 되어
버린 겨울 냇가에선 썰매 타며 일부러 몰랑몰랑 고
무 얼음 만들어 용감하게 얼음을 지쳤다. 고리땡 바
지가 물에 젖어 불에 말리다 보면 바지, 양말도 태
우고 소죽 끓이시는 아버지 몰래 집에 들어가다 호
되게 야단을 맞기도 하였다. 세월이 지나 머리카락
이 희고 얼굴이 변했어도 우리는 친구라는 단어를
통해 늘 그 자리에 있다.
　산골 속 아이들에게 있어 학교는 큰 놀이터였다.
무엇이 된다는, 무엇이 되겠다는 생각은 없었던 것
같다. 일정한 교육을 받으면 그냥 도회지로 나가 공
장에 취직하고 부모님께 용돈을 보내고 아니면 고향

들녘에서 농사를 짓는 농부로 살아가는 정도였다. 학교를 다녀오면 친구들과 놀이를 통하여 하루를 보냈다. 시간이 되면 소 풀을 하고 소고삐를 잡고 다니며 풀을 먹이고 마을 입구 소나무 아래에서 고무신 벗고 고무신을 연결하여 모래를 담고 친구들과 기차놀이를 하곤 하였다. 중학생이 되면서 우리나라의 경제가 급격하게 발전하게 된다. 새마을 운동이 확산하여 마을에 전기가 들어오고 TV와 책보자기 대신 가방이 생기고 고무신 대신 운동화가 생겼다. 혁신이었다. 텔레비전속에 나오는 도회지 모습을 보면서 상상과 희망이 생기게 된다. 권투선수 홍수환 선수의 챔피언 등극을 보면서 무지에서 그리고 가난에서 부자의 꿈을 꾸게 되었다. 노력하면 '나도 저렇게 될 수 있겠구나'라는 희망을 품게 되었다. 중학교를 졸업하고 친구들은 각자의 길을 가게 된다. 누구나 고등학교로 진학하는 시대가 열렸다. 재수, 삼수해서라도 대학이라는 관문을 향해 질주하게 되었으며 대학을 나온 사람은 시대적 혜택을 받는 가진 자가 되는 시대가 등극한 것이다. 배 너머 고개를 넘어 중. 고등학교에 다니며 반은 절망, 반은 희망이라는 단어를 머릿속에 담고 살았다. 사춘기 시절이었지만 그래도 옆길로 새지 않고 꿈과 희망을 품을 수 있었던 것은 선생님, 그리고 친구들 때문이었다. 친구. 지금도 친구라는 단어를 되새기노라면 가슴 뭉

클하다. 더대 친구(기돈, 용주, 치홍, 현국, 황철, 순영, 순동, 기현, 현도, 명달, 기숙, 숙희, 숙자, 현애) 50호 되는 가구에 15명이라는 동기가 함께 했었다. 그중 기돈이라는 친구는 초등학교 때 점촌으로 전학을 갔지만 방학이면 고향에 왔고 고등학교 때까지 늘 만난 친구였다. 대학에 가서도 늘 마음을 주었고 어려움이 있을 때 마다 나의 정신적 지주가 되어 준 참 고마운 친구이다. 어쩌면 지금 나의 꿈을 실현하게 해 준 은인일지도 모른다. 하늘 아래 첫 동네. 친구들과 함께한 자연 속에서의 10대 시절은 인생에 있어 소중하게 밑거름되어 무너지지 않는 가치관을 정립하며 살아가는 지혜가 되었다. 도회지에서 볼 수 없는 순수한 마음을 열고 살았다. 이젠 상상해도 상상되지 못할 그 시절. 꿈속에서나 볼 수 있는 하늘 아래 첫 동네. 경제적으로는 가난하였지만 코 흘리며 까까머리 모습들로 들끓던 마을 어귀의 솔강지(소나무숲 방언)가 그립고 그립다.

고향 친구 부부 동반 속리산 여행(2018. 10.)

친구는 인생의 동반자

친구란 무엇인가?

어머니 품을 떠나 가장 많은 영향을 받는 것은 친구
가 아닌가 생각된다. 인간은 어린 시절엔 또래 집단
에서 배우는 질서가 기초적으로 인성 형성에 큰 도
움을 준다. 친구란 초등에서 대학에 이르기까지 순
간순간마다 스승이 되기도 하고 때론 경쟁자가 되어

강력한 자존감을 만들어 주기도 한다. 살아오면서 만난 수많은 사람 중에서 가장 친한 친구를 굳이 꼽으라면 난 두 명의 친구를 잊을 수 없다. 첫째는 사춘기 시절 인성 형성과 꿈을 갖게 해 준 친구가 있으며 그리고 청년 시절 그 꿈을 다지게 하고 늘 응원해 주던 또 한 명의 친구가 있다. 생활환경은 달랐지만, 함께 생각하고 행동해 준 친구가 있었다. 친구의 아버지는 우리가 초등학생일 때 중고등학교 국어 선생님이셨다. 친구는 아버지를 따라 도회지에서 학교에 다녔다. 방학이면 늘 자신이 태어난 우리 마을 할아버지 댁을 찾아 여름엔 물장구치고 겨울엔 얼음을 지치며 함께 하였다. 친구는 도회지에서 왔지만 좁은 방인 우리 집에서 함께 한 이불을 덮고 잠도 잤었고 여름엔 도랑에서 미꾸라지를 잡아 엄마가 해 주신 미꾸라지 조림으로 밥도 같이 먹곤 하였다. 그냥 우리는 늘 함께 이야기하고 놀며 생각하고 행동하였다. 방학이 끝나고 다시 돌아가는 친구를 보면 정이 들어 눈물이 핑 돌았다. 중학교, 고등학교에 진학하면서도 친구는 항상 고향을 찾았다. 사춘기인 나로서는 친구의 환경이 부럽기도 하였다. 대학에 진학하지 않고 시골에서 농사일을 하던 나에게 친구는 젊음의 문화를 늘 편지로 전파해 주는 전달자가 되어 있었다. 대학 캠퍼스의 역동적인 모습, 젊은이들의 시대적 요구 및 갈등, 관심사 등 책을 읽

는 것보다 살아 숨 쉬는 충격적인 문화에 나는 꿈틀
거렸고 용기를 내게 되었으며 대학이라는 곳, 그리
고 무엇을 하며 살 것인가를 고민하는 계기를 마련
해 주었다. 이후 열심히 공부하여 장학생으로 대학
에 진학하게 되었다. 이는 바로 친구 덕분이었다. 대
학에 진학한 후 우리 과엔 여학생이 60%를 차지하
였다. 촌놈인 나는 여학생들과 그리 친하게 지내질
못했다. 사람들은 순간마다 인연이 있음을 느낀다.
남학생 중 고향 친구와 이름이 너무도 비슷한 대학
친구를 만나게 된 것이다. 이름끝 자가 역시 돈이다.
막걸리를 잘 못 마시는 친구는 한잔 술에 발가락,
손가락이 모두 붉게 물들었다. 술을 안 마셔도 친구
는 다른 사람들의 이야기를 끝까지 잘 들어주고 이
해하려 노력하였으며 마지막까지 남아 자리를 정돈
하는 배려심이 강한 친구였다. 자연스럽게 우리는
음악다방을 찾아 커피도 마셨고 어느 순간 자신의
미래를 위한 비전도 제시하며 서로를 이해하고 있었
다. 고향인 문경새재를 걸어 넘으며 젊은 청춘을 노
래하였고 나 역시 친구 고향인 평택집을 오가며 서
로의 삶에 대해 이해하고 친근한 관계가 되어 있었
다. 4학년 1학기를 마치고 휴학한 나는 군입대를 하
였다. 친구는 졸업하고 ROTC 장교가 되어 내가 근
무하고 있는 부대에 직접 면회를 와 반가운 만남을
가지기도 하였다. 이렇게 우리는 만남을 이어가며

낯선 포항에서 내가 먼저 중학교 교사로 근무하게 되었으며 친구도 제대하고 이곳 포항에 내려와 같은 재단인 영일교육재단 교사가 되어 현재 함께 고등학교에서 근무하고 있다. 사람들은 살아가면서 다양한 부류의 사람들을 만나고 살아가게 된다. '옷깃만 스쳐도 인연이다.'라는 말이 있다. 무심코 지나는 사람들중 누군가는 나에게 특별한 사람일 수도 있다는 것이다. 서로를 이해하고 존중하며 마음을 나눌 수 있는 사람. 인생에 있어 삶의 지표가 될 수 있는 사람을 만난다는 사실은 분명하다. 지금 낯선 포항에 정착하여 결혼하고 가정을 이루었으며 지금은 교직의 막다른 골목으로 접어든 이 시점에 우리는 누구보다도 가깝고 마음을 나눌 수 있음에 감사할 따름이다. 가족보다도 더 오랫동안 진한 우정을 나누고 살아가는 만남이다.

건망증

요즘 비가 오는 날 우산을 들고 나가는 날엔 신경이 곤두서게 된다.

햇볕이 날 때면 늘 우산을 잃어버리고 집으로 귀가하는 날이 허다하다. 지난 토요일 아침엔 비가 내렸다. 역시 우산을 들고 출근하였는데 퇴근길엔 비가 오질 않았다. 이날은 바로 집으로 가지 않고 선배 선생님과 함께 모처럼 식사하고 집으로 가게 되었다. "오늘만은 우산을 꼭 챙겨야지." 우산을 챙기는 데에 온 신경을 썼다. 오랜만에 술도 한잔하고 취기는 올랐지만 정신 바짝 차리고 선배 선생님과 인사를 나누며 헤어질 때도, 우산을 손에 들고 있음에 흐뭇함을 가졌다. 택시를 타고 집으로 돌아오면서 우산을 챙겼다는 안도감에 그리고 나의 정신력에 스스로 감동하였다. 아파트 앞에 다다르자, 택시비를 내고 긴 우산으로 땅을 짚으며 내리는 순간 개선장군이 된 기분이었다. 그리고 엘리베이트를 타고 아파트 입구 우산꽂이에 우산을 꽂는 순간 나는 승리자임을 만끽하며 당당히 집으로 들어섰다. 근데 뭔가 한쪽 손이 허전하다. 아! 이게 웬일. 휴대전화가 없다. 택시비를 내면서 오른손에 쥐고 있던 휴대폰을 의자에 두고 계산만 하고 그냥 내린 것이다. 택시비를 내고 오직 우산만을 챙기는 네에 납납했던

179

것이었다. 이를 어찌한단 말인가. 전화를 걸어 보았지만 밧데리가 모두 소진되어 통화가 안 된다. 이른 아침 다시 전화하니 택시 기사분이 전화를 받는다. 고맙게도 밧데리 충전까지 하여 전화를 받으신 거다. 고마운 분. 우여곡절 끝에 휴대폰을 찾게 되었다. 참 어이가 없다. 우산을 사수하고자 노력하였던 하루. 정신 차리고 살자.

새해 첫 등산(2021. 1. 1.)

신축년(辛丑年) 새해가 밝았다.

코로나로 인해 해수욕장이 모두 폐쇄 조치 되어 올해 일출은 집에서 떠오르는 해를 바라보아야만 하였다. 유강리 앞에는 형산강이 흐르고 연일 들판이 펼쳐져 있으며 멀리 포스코 철강 공단이 동해를 가로막고 서 있다. 우리 아파트는 형산강 풍광을 가로막는 지형지물이 없어 일출의 멋진 묘미를 나름 즐길 수 있어 좋다. 붉은 태양이 완전히 떠오른 모습 보다 해안의 낮은 긴 산기슭을 따라 붉은 눈썹 되어 오르는 일출 모습은 과히 환상적인 모습이다. 올해도 우리 가족 모두 건강하고 평온한 한 해가 되고 코로나로 인해 세상이 좀 활기찬 모습으로 돌아가기를 기원하였다.

평소 존경하던 선배 선생님으로부터 문자가 왔다. 오늘 신년을 맞이하여 뒷산으로 산행을 가자는 제안을 해 오신 것이다. 코로나로 인해 테니스 구장을 갈 수도 없고 평소 후배를 사랑해 주시고 따스한 배려를 실천하시는 분이기에 쾌히 따라나서게 되었다. 워낙 촌에서 자란 촌놈인지라 뒷산 정도는 아무 문제가 되지 않으리라 생각하고 쉽게 나섰다. 평소 학교 산악회에서 활동하고 계신 김응원, 신홍식 선생님은 산을 오르기 시작하자마자 발걸음이 매우 가벼워 보였다. 체중이 85킬로그램이 넘는 나로서는 처음 오르는 길에서부터 숨이 막혀 왔다. 하지만 처음부터 힘들다고 말씀을 드리기 민망하여 인내심을 가지고 열심히 뒤따랐다. 많은 분이 동네 뒷산을 오르내리고 있었다. 코로나로 인해 모두가 마스크를 쓰고 다니는 모습이 예전의 산행 모습과 다른 분위기였다. 결국 나로 인하여 우리가 가고자 하는 지점을 향하며 중간도 가질 못하고 쉬어 가게 되었다. 20여 분을 쉬며 숨을 고르고 나니 좀 살 것 같았다. 아직도 갈 길은 멀다. 유강에서 포스텍을 지나고 방사광가속기가 보이고 한참을 지나니 대구-포항 고속도로로 이어지는 길이 나타났다. 평소 차를 몰고 다니던 길옆에 이런 등산로가 있었다니, 숨을 헐떡이며 걷고 걸어 산 하나를 넘었다. 큰길을 건너 포항동부교회가 보인다. 이제 저 산을 다시 넘어가면 우리의 종착지 양학동이 나타난다는 것이다. 동부교회 옆길은 지금까지 길보다 훨씬 가팔랐다. 옛 군시절 유격 훈련 및 수색 정찰을 나갔던 생각이 났다. 그 시절을 잠시 회상하며 오르막을 오르니 다시 쉬운 내리막이 나타난다. 우리의 인생사와 흡사한 것 같다. 지금 우리의 힘든 코로나 정국과 흡사한 듯. 대한민국 국민들의 고통이 이만저만이 아닌 시간이다. 모두가 참고 잘 이겨내면 이런 내리막과 같은 우리의 삶도 좀더 편안하고 행복한 시간이 오리라 확신해 본다. 드디어 이마의 땀방울을 닦으며 우리의 종착지 양학동이 보인다. 내려서니 옛 주막집과 같은 간이 식당이 있는 것이 아닌가. 이곳에 들러 돼지껍질과 두부 김치를 안주하여 시원한 막걸리 한 사발을 들이켜니 세상사 모든 게 내 것이다. 오늘 이렇게 후배 사랑을 듬뿍 주신 선배 선생님인 김응원, 신홍식 선생님께 깊이 감사드립니다. 행복한 2021년 새해 새 아침 산행이었다.

통신수단에 대한 단상(斷想)

　교정 건물 한 모퉁이에 있는 하늘색 공중전화기 부스가 눈에 들어왔다. 늘 지나치며 아직 한 번도 사용해 보지는 않았다. 옛 초등학교 6학년 때 대구 달성공원으로 수학여행을 갔었는데 우리가 묵던 여인숙 앞 벽엔 공중전화기가 달려 있었다. 말로만 듣던 공중전화기를 난생 처음 본 순간이었다. 호기심이 발동하였다. 한 통화에 5원이었던 기억이 난다. 대구는 당시 다이얼을 돌리는 자동식 전화기였다. 5원을 집어넣고 떨리는 마음으로 다이얼을 돌렸다. 어느 순간 신호음이 가게 되었고 상대방 목소리가 들렸다. "여보세요?"하는 순간 놀라움과 동시에 가슴이 철렁하였다. 그대로 끊었다. 너무 신기하고 놀라운 첫 공중전화기 통화였다.

　요즘 초등학생들은 스마트폰을 들고 음악 감상을 하고 영상을 보며 서로 대화를 나눈다. 상상하지 못한 일들을 우리는 경험하고 있다. 요즘 전화 한 통화 요금이 얼마나 할까? 공중전화 부스에 들어가 동전 100원을 넣어 보았다. 한 통화에 70원이었다. 세월에 비해 생각 보다 비싸지는 않은 느낌이다. 1970년대 초반 5원이었으니 당시 서울에 계신 형님댁으로 급하게 전화할 일이 생기면 산을 넘어 면소재지에 위치한 우체국으로 향하였다. 우체국 식원에게 전화번호를 주고 전화를 신청하면 교환원이 대신 연결해 주었다. 한 시간이고 두 시간이고 기다리다 연결이 되면 정해진 부스에 들어가 통화를 하였었다. 하지만 순간순간 통화가 끊어지는가 하면 상대방 목소리가 잘 들리지를 않아 그야말로 우체국에서 웅변대회를 하듯 통화를 하였던 기억이 난다. 그러다가 80년대 후반부터는 교환원을 거치지 않고 시외통화를 할 수 있는 DDD(Direct Distance Dialing, 장거리자동전화) 시스템이 도입되었으며 어느 순간 교환원이라는 직업은 차츰 사라지게 되었다.

우리나라 공중전화기는 1902년 처음 등장하였다. 당시 이용 요금은 50전이었다고 하는데 이 돈이면 당시 쌀 다섯 가마니 약 400kg을 살 수 있었다고 한다. 우리가 흔히 아는 형태의 공중전화기는 1962년 처음 등장하였다. 이어 1977년 시내. 외 겸용 공중전화 부스가 길거리에 설치되었으며 부스마다 전화를 하기 위한 줄이 길게 이어지곤 하였다. 거스름돈이 나오지 않아 화풀이를 전화기에다가 하여 고장나기 일쑤였다. 이용객들의 불만이 커지자 공중전화카드가 도입되기도 하였다. 1990년대에 수신 기능만 있고 송신 기능이 없는 무선통신(일명 삐삐)으로 말미암아 사람들은 공중전화 부스로 달려갔고 이로 인해 한때 공중전화 사용률이 더욱 높아지기도 하였었다.

세월이 흘러 스마트폰 시대를 맞이하여 우리는 수많은 정보를 공유하며 산다. 휴대폰만 있으면 결제를 통하여 음식도 시켜 먹고, 물건도 사고 영화도 보고 음악 감상도 하고 공부도 할 수 있다. 기기하나에 모두 의존하고 사는 모습이다. 어떻게 보면 스마트폰이 제일 친한 친구가 되었다. 혼자 있어도 자신의 방에서 놀 수 있다. 과거엔 상상할 수 없었던 모습들이다.

최근 염려스러운 것이 잘못 사용하다 보면 우린 소중한 가치를 잃어버릴 수 있다는 것이다. 편리함 속에 친구, 가족, 선배, 후배....서로 대면하고 나눌 수 있는 인정을 잃어버리고 살고 있다. 사람은 때론 기계적인 것이 아니라 감성으로 이야기하고 호소하는 상호작용이 이루어져야 한다. 또한 책임 의식도 따라야 한다. 쉽게 전하는 문자 메세지로 인해 상대방의 마음에 상처를 주어서는 안 된다. 지금 우리가 그렇다. 새로움을 창조하는 기쁨 속에 더 큰 것을 잃어버려서는 안 될 것이다.

공중전화 부스에서 동전을 넣고 종료 시간을 아쉬워하며 통화하던 그 시절이 그리움으로 다가온다. 교정의 한 모퉁이에 위치한 공중전화 부스를 찾아 동전을 넣어 본다.

딸까닥 그리움을 전한다.

교정의 공중전화 부스

30년 만에 다시 오른 주흘산(主屹山)

우리나라의 명산 주흘산(해발 1,076m)은 문경에 자리 잡고 있다. 이곳에서 청소년 시절을 보낸 나로서는 애향심이 남달라 SNS에서 늘 애칭은 주흘산지기를 사용하고 있다. 지난주 일요일엔 동료 선생님 세분과 함께 주흘산 산행을 하였다. 동료 선생님들은 산악 전문가나 다를 바 없는 분들이다. 주흘산 등반은 내 생에 있어 두 번째 등반이다. 정확히

1990년 7월 함께 근무하던 선생님들과 등반하였었다. 그때는 두려워할 것이 없던 스물아홉 총각 시절이었다. 2021년 6월 이순(耳順)의 나이 **육십**이 되어 다시 주흘산을 등반한다고 나서니 감회가 새롭고, 한편으론 세월의 무게에 부담도 되었다.

우리는 이른 아침 문경새재 제1주차장에 차를 주차하고 주흘관 제1 관문에 다다랐다. 제1 관문을 지나자마자 우측으로 잠시 올라서면 10여 미터에서 쏟아지는 여궁폭포를 만나게 된다. 전설에 의하면 일곱 선녀가 하늘에서 내려와 목욕하던 곳이라 한다. 정상으로 올라가는 길엔 수시로 계곡물이 흘러 산을 갈랐고, 나무가 세월만큼 높고 울창하게 자라 숲을 이루고 있었다. 덕분에 뜨거운 태양을 가려주어 있어 시원하였다. 산 사나이들은 오랜만에 산행에 나선 초보자를 위해 보폭을 맞추어 주었다. 가장 앞에 초보자를 세우고 모두 천천히 따라 주며 배려를 아끼지 않았다. 주봉인 정상이 가까워질수록 경사가 가파르며 계단들이 앞을 가로막고 있었다. 숨이 차오르고 힘이 들었다. 속도는 점차 줄어들고 온몸에 세월의 무게감이 더해 왔다. 오르던 걸음을 멈추고 숲 사이로 보이는 하늘을 보니 하늘은 파랗기보다는 노란 색깔로 보였다. 그만큼 힘이 들었음이라. 주흘산 주봉에 가까이 다다랐을 때 약수터가 눈에 들어왔다. 그야말로 생명수를 맞이한 것이다. 등산객들이

187

마실 수 있도록 바가지도 걸어 두었다. 무상(無償)의 선물을 받은 것 같았다. 남을 배려하기 위해 마련한 마음의 세심함을 느끼며 목을 축인 우리 일행은 마지막 가파른 계단을 오르기 시작하였다. 30년 전에 왔을 때는 계단이 없었는데 정상을 좀 더 쉽게 오를 수 있도록 설치를 한 것이다. 산 정상이 다가왔다는 것을 주변 고산식물을 통해 알 수 있다. 홀아비바람꽃이 날리고 한국 특산종으로 보호받고 있는 자줏빛 자란초(紫蘭草)가 반긴다. 정상 부근엔 피나물 군락지가 펼쳐진다. 숨을 몰아쉬며 마지막 계단에 올라서노라니 하늘이 열리고 정상 주봉이 우리 일행을 반긴다. 정상을 알리는 주흘산 이정표가 예나 지금이나 그대로 서 있다. 주변을 둘러보니 구름이 가려 잘 보이지 않다가 금방 구름이 사라지고 백두대간의 위용을 자랑하였다. 대한민국 100대 명산임을 실감하게 된다. 산을 오르는 이유는 바로 이런 기분을 만끽하기 위함일 것이다. 발아래 펼쳐진 백두대간의 모습을 보고 있으니, 가슴이 벅찼다. 30년 전 함께 등반했던 선생님에게 바로 사진을 전송하며 감회를 전했다. 선생님 역시 축하의 답을 바로 전해왔다. 언제 또 이 자리에 서 볼 것인가. 아쉬운 마음을 뒤로 하고 하산하기로 하였다. 내려오는 길은 좀 더 속도가 빨라졌다. 산 사나이들은 날아가는 듯했고, 맨 뒤에서 따르는 나로서는 숨은 그리 가쁘지 않았지만 금방 사라지는 후미를 잡기 위해 신경을 곤두세워 따라 내려 왔다. 내려오는 길에 돌길 너덜지대를 지나면 '꽃밭서들'이라 불리는 돌탑 무더기를 지나게 된다. 얼마나 많은 사람들이 소원을 빌었는지 돌탑들이 펼쳐진 모습이 장관이었다. 계곡에 흐르는 시원한 물을 만나 세수를 하고 정신을 차리니 어느새 넓은 문경새재 길을 만나게 된다. 2관문인 조곡관에서 1관문으로 내려가는 길이다. 수많은 가족 단위의 관광객들이 산책하고 있다. 조선시대 청운의 꿈을 안고 이 길을 걸었을 청춘들을 생각하며 걸으니, 감회가 새로웠다.

경상도로 새로 부임하는 경상감사는 이곳 문경새재에 있는 교귀정(交龜亭)에서 신·구 인수인계가 이루어졌다고 한다. 조선시대 신임 감사의 인수인계는 도 경계 지점에서 실시하였으며 이 지점을 교귀라고 한다. 교귀정은 문경새재의 주흘관과 조곡관 사이에 자리 잡고 있으며 계곡엔 맑고 깨끗한 물이 흘러 시원한 운치를 더해 준다. 흙길로 보존 되어 있는 문경새재 길은 매년 수많은 관광객이 찾는 명소 중의 명소가 되었다. 어느새 우리는 처음 출발하였던 1관문(주흘관)에 도착하였다.

그동안 담임을 하며 학생들을 인솔하여 2004년부터 2014년에 이르기까지 여섯 번에 걸쳐 충청도에서 경상도로 문경새재(鳥嶺)길을 걸어 넘은 추억에 잠겨 본다. 이 길을 걸어 넘은 학생들만 200명이 넘는다. 비록 주흘산 주봉은 겨우 두 번 올랐지만 충분히 주흘산 지기라는 애칭을 사용할 가치는 있다고 본다. 이건 나만의 생각인가? 많은 졸업생들이 포항에서 차를 타고 고속도로 문경새재를 지날 즈음이면 전화를 주곤 한다. 졸업생들은 청소년 시절 선생님과 함께 넘었던 그때가 지금도 생각나는가 보다. 백두대간에 우뚝 솟아 있는 주흘산의 위용과 역사적 전설을 품고 있는 신비로움에 흠뻑 젖은 우리 일행은 아쉬움을 뒤로하고 훗날을 다시 기약해 본다. 과연 30년 뒤 또 오를 수 있을까?

주흘산 주봉에서(1990. 7.)

주흘산 정상(1076m) 1990년

다시 찾은 주흘산 (2021년)

음악의 매력

요즘 텔레비전에서는 트로트 경연대회가 자주 방영이 되고 있다. 트로트는 우리나라 전통 가요의 장르로 구수한 박자와 가사들이 살아온 삶의 애환과 현실을 희망으로 승화시켜 주는 누구나 쉽게 따라 부를 수 있는 음악이라고 생각된다. 나는 초등학교에 들어가면서 이웃 친구 집 라디오를 통해 연속극과 음악을 듣기 시작하였다. 우리 집엔 초등학교 4학년 무렵 라디오가 생긴 것 같다. 1970년대 초반 라디오는 산골 소년에게는 신기한 요술 박스로 여겨졌다. 당시 주로 듣던 노래가 배호, 나훈아, 남진, 이미자, 김상희, 김상진님의 노래들이었다. 소 풀을 먹이러 갈 때, 잔디에 드러누워 있을 때, 저녁을 먹고 냇가에 바람을 쐬러 나오면 늘 노래를 불렀다. 그래서인지 지금도 공공장소를 가면 노래를 잘 부른다고 박수를 받곤 한다. 세월이 흘러 노래방도 생기고 누구나 손쉽게 반주에 맞춰 노래를 부를 수 있다. 2016년 우연한 기회가 생겨 서울에서 열린 가수 배호 모창 가요제를 나가게 되었다. 수많은 사람이 가슴을 파고드는 배호 노래를 좋아하고 있음을 알 수 있었다. 배호는 스물아홉 젊은 나이에 지병으로 인하여 세상을 등진 가수로 그의 애절한 노래는 반세기가 지난 지금도 많은 사람에 의해 불리고 있다.

나는 그 자리에서 영광스럽게도 대상을 수상하였고 한국 연예 예술인총연합회에서 주는 가수 인증서도 받게 되었다. 노래는 대중들과 소통하는 최고의 매력을 지닌 강점이 있다. 공원이나 바닷가에서 버스킹을 여는 사람들, 그리고 함께 손뼉을 치고 즐기는 일반 관광객들의 모습. 그 속에는 말로 표현할 수 없는 전율이 흐르고 있다. 용기를 내어 나 역시 그들과 함께 노래를 통한 소통의 장을 펼치고 싶어 더원 문화예술단이라고 하는 공연단체에 가입하였다. 노래를 좋아하는 60대 중년 아닌 중년으로 뭉친 모임 단체이다. 그들은 자신감을 가지고 길거리 대중을 만나고 노래를 통해 소통하려고 하는 멋진 사람들이다. 자신의 앨범도 발표하고 사회생활도 열심히 해 나가고 있는 분들이다. 아직 가입한 지 얼마 되질 않아 사람들 앞에서 공연하기가 다소 쑥스럽기도 하지만 내 노래를 듣고 손뼉 치며 호응하는 사람들을 보노라면 힘이 생기고 보람을 느낀다. 어떤 모임이건 노래 한 곡 해 볼래? 라는 제안을 받는다. 하지만 모두 선뜻 나서질 못한다. 보통 노래는 좋아하지만 노래를 잘 부르지 못하거나 용기가 없어서이다. 나에겐 희망이 있다. 이제 정년퇴임을 하고 나면 마을 회관에서 노인들과 생활을 할 기회가 많아질 것이다. 즐거움을 주는 사람이 되고 싶다. 반주기를 다룰 줄 알고 기타를 치며 함께 박수치고 노래를 부르고 싶다. 그 자체가 바로 가수 공연이 아니겠는가.

노래 봉사 단체활동

9회 말 투아웃 만루의 스릴

평소 야구를 즐겨 보지는 않는데 야구를 통해 역전
의 짜릿함을 느낄 때가 있다. 9회말까지 3점 차이로
이기고 있던 팀이 위기의 순간을 맞이하는 모습에서
채널 고정이 되는 것이다. 투아웃 만루의 기회가 이

어지고 있다. 그것도 투아웃 투 스트라이커 스리볼 임을 아나운서가 중계하고 있다. 이제 끝이겠지 했는데 타자의 방망이가 허공을 가르고 딱~하는 소리와 함께 하얀 공은 포물선을 그리며 모든 관중과 시청자들이 응시한 가운데 스코어 전광판이 설치되어 있는 외야석으로 넘어간다. 홈런이다. 그것도 만루홈런이다. 라커룸에 있던 선수들이 순간 야구장으로 뛰어나온다. 주인공이 한 바퀴를 신나게 돌아 홈베이스를 밟자마자 열광의 모습이다. 패배를 당한 팀은 억울 하여 말로 표현을 못하겠지만 9회말 역전만루 모습을 본 나 자신도 흥분이 되고 기분이 좋다. 야구 경기를 통해 인생 역시 누구나 마지막까지 최선을 다하면 좋은 결과가 분명 있을 거라는 희망을 가져 본다. 우리의 인생도 야구와 같다. 라는 말을 한다. 투수와 타자의 교묘한 신경전을 시작으로 던지는 자와 치려는 자의 팽팽한 전쟁은 한 치의 빈틈을 허락하지 않는다. 시간이 지나면서 서로의 약점과 강점을 파악하게 되고 어느 순간 한쪽이 무너지기 시작한다. 어느 날 경기를 보다 보면 투수의 기량으로 인해 타자들이 헛스윙만 하기 바쁘다. 또 어느 날엔 투수의 기량이 회를 거듭하면서 전략이 노출되어 안타와 홈런을 연이어 맞기도 하는 모습을 본다. 이렇게 야구는 삶의 전쟁터를 연상케 한다. 이런 스릴을 만끽하기 위해 야구장을 찾는가 보다. AI

시대에 야구 경기도 로봇이 던지고 로봇이 치는 야구 경기가 이어진다면 어떨까? 물론 로봇을 조정하는 것은 인간이 될 것이다. 하지만 만루홈런을 치고 역전을 시켰을 때 함께 환호하고 흥분되어 뛰는 심장은 느낄 수 있을까? 선수와 감독, 코치, 관중이 모두 하나 되어 순수 인간의 순발력과 집중력으로 만들어 낸 산유물이라고 본다. 그래서 더 감동적이고 기쁨의 눈물을 흘리는 것이다. 인간들만이 이룰 수 있는 감동의 드라마 9회말 투아웃 만루 홈런이다. 3점차를 극복하고 1점의 리더를 통해 승리를 따내는 순간은 야구를 별로 좋아하지 않는 사람조차도 흥분되게 한다. 바로 결실의 순간에 느끼는 공감과 희열인것이다. 차근차근 1회부터 최선을 다하였음에도 막바지에 무너지는 모습과 막바지에 역전을 시켜 환호하는 모습은 우리 인생의 단면을 보여주는 모습이라고 생각된다. 인생 역전을 꿈꾸는 우리의 삶이 아니던가.

아침을 여는 마음

 중학교 10년 근무와 달리 고등학교에 근무하면서 26년째 이른 아침 출근을 하고 있다.
교사의 꽃은 바로 담임이라고 믿었기에 우리 반 학

생들이 등교하기 전 먼저 출근하여 교실의 불을 밝히고 환기를 시켜 놓는 게 나의 이른 아침 출근 목적이었다. 20km 떨어진 경주시 안강읍에 거주하던 때엔 이따금 우리 반 학생을 태워 오기도 하였다. 하지만 학생들은 그렇게 반갑게 생각하지 않는 눈치였다. 왜냐하면 이른 아침 부지런히 움직여야 하므로 오히려 학교생활에 피로감을 주는 것 같았다. 중학교에 근무할 땐 아침 조기축구회에 나가서 공도 차고 출근을 하였건만 고등학교 근무는 확연하게 나 자신을 변화시켰다. 그래도 담임의 의지를 읽어 주고 따라와 주는 반 학생들이 고마웠다. 생활지도가 곧 학력 향상으로 이어진다는 나름의 철학을 가지고 학생들을 지도하였다. 학교생활 규정을 잘 준수하고 생활하는 학생이 성적도 상위그룹에 속함을 보았다. 또한 인성도 바르고 학급 일에 잘 협조하며 리더십도 발휘하는 모습들을 발견할 수 있었다. 반면 규칙을 자주 어기고 담임 이야기를 잘 듣지 않는 학생들은 주로 학습이나 학급 일에 협력하는 분위기가 저조하였다. 그래서 이른 아침 출근하여 지각을 단속하고 복장 등 생활지도에 심혈을 기울이다 보니 농땡이들도 일찍 오려고 흉내를 내고 담당 청소 구역을 정리 정돈을 하는 모범적인 모습들로 변화해 나갔다. 담임이 움직이니 학생들도 자연스럽게 움직이게 되는 톱니바퀴 일부가 되어 있었다. 세월이 흘러

돌아보니 공부를 잘한 학생보다도 오히려 생활지도에 더 힘을 쓴 학생들이 사회활동에 더 적극적인 모습들로 변해 있음을 볼 수 있다. 공부를 잘하고 행동을 소극적으로 보인 학생들은 그야말로 순수 모범생이었다. 담임의 역할이 그리 많이 작용하질 않았다. 하지만 지각이 잦고 말썽을 피우던 학생들은 담임의 잔소리와 얼차려가 행해지게 되고 오히려 정이 더 들게 되었으며 세월이 흘러도 늘 기억되고 궁금해지기도 한다. 어쩌다 소식을 듣게 되면 지역사회의 각 분야에서 지도자가 되어 열심히 살아가고 있는 모습을 접하게 된다. 정말 자랑스럽다. 비록 옛 담임이 생각나지는 않을지라도 지도를 한 담임으로서 너무도 자랑스러운 것이다. 옛 영국의 심리학자인 존 러스킨은 '인생은 흘러가는 것이 아니라 채워지는 것이다.'라고 하였다. 이를 학급 급훈으로 삼고 달려 온 지난 교단의 생활이 순식간에 34년이란 세월 속에 묻혀 가고 있다. 남보다 더 부지런히 움직이면 열리는 아침을 더 빠르게 맞이하게 될 것이란 생각에 살아 온 지난 교직의 시간 들이 저물어 가고 있다. 교감, 교장이 되어서도 이 생각은 여전하다. 교정의 소나무 숲에서 지저귀는 새들의 노래가 너무도 청명하고 아름답다.

AI시대에 가져야 할 덕목

● 상호소통 능력을 키우자

소통의 사전적인 의미는 ' 뜻이 서로 통해 오해가 없음' 이다. 이러한 소통은 모든 부분과 환경에서 적용된다. 소통은 다른 의미로 서로에 대한 배려와 존중이다. 각자 의견과 관념들을 한발씩 뒤로 양보하고 상대방을 위해 나의 귀와 마음을 열 때 그게 바로 올바른 소통이 된다. 지하철을 타고 있노라면 모두가 하나같이 스마트폰을 손에 들고 옆 사람에겐 아무 관심이 없다. 앞에 나이 드신 분이 다가서 있어도 자리를 양보할 줄도 모른다. 과거 직장에서의 소통은 대부분 수직적으로 이뤄졌다. 이것은 사실 소통이 아니라 일방적인 요구나 통보에 가깝다. 이러한 분위기에서는 좋은 문화를 만들 수 없다. 무엇보다 '소통'은 수평적인 대화가 필요하다. 그럴 때야 비로소 더 좋은, 양질의 문화가 생산될 것이고 우리의 문화 역시 더 좋고 건강한 방향으로 발전될 것이다. 이러한 소통의 능력은 올바른 인성에서 비롯된다. 인성교육이 필요하다. 가정에서의 가족 소통, 직장에서 상.하간 소통, 또래 간 소통, 아무리 AI가 세상을 편리하게 만들고 문화의 변화를 꾀하고 있지만 이를 움직이는 것은 인간이다. 가장 기본적인 소통의 능력이 기반한 집단은 분명 성공하는 집단이 될 것이다. 인공지능이 결코 감성을 대변하지는 못한다.

● 자존감을 높이자

자존감이 낮으면 일상생활에 있어서 항상 불안함과 불만이 가득 차게 된다. 일상생활에서 부정적 사고가 반복되면 자신에게 해로운 믿음으로 가득 차 자존감은 낮아지게 된다. 이런 악순환을 멈추기 위해서는 자존감을 높여야 하는데, 자존감은 어떻게 높여야 할까? 자존감 높이는 방법으로는 자신의 재능과 관심이 맞는 기술을 익혀 역량을 향상하는 것이다. 기술이 아니더라도 새로운 학문이나, 취미생활을 배우는 것도 도움이 된다. 자신의 역량이 올라가는 것은 자존감 향상에 도움이 되기 때문에 새로운 걸 배워보자. 그리고 살면서 자랑스러워하는 모든 일, 잘한 일의 목록을 작성하여 보자. 생각보다 이뤄낸 것이 많고, 실제로 모아서 보게 되면 자존감이 향상될 것이다. 어떤 일을 완수해야 하는데 자신감과 자존감이 부족하다고 느껴진다면, 작성한 업적 리스트를 보자. 이번 일 또한 해낼 수 있다는 내면의 힘이 생길 것이다. 그리고 자존감 높이는 방법으로는 창의적인 일에 도전하기이다. 창의적인 업무는 자존감을 높이는 좋은 방법이다. 창의력은 뇌를 자극하고, 뇌를 더 많이 사용할 수 있게 해준다. 오래된 기타를 꺼내 치거나, 글을 쓴다던가, 댄스 수업을 등록하는 등 새로운 무언가를 만들어 보자. 무에서 유를 창조해 내는 것은 자존감을 높여주는 역할을 할 것이다. 이 과정에서 자신의 가치를 발견할 수 있다. 자신의 가치가 무엇인지 판단하고, 현재 나의 삶과 일치하지 않는 곳이 무엇인지 확인 할 필요가 있다. 자존감이 있어야 우리는 삶의 성취를 얻을 수 있다. 물질적으로 성공하는 것이 모든 성공이 아니다. 내가 스스로 정의하는 성공하는 삶을 만족시키면 성공한 것이다. 스스로 정의하고 그에 맞는 삶을 계획하면 자존감도 같이 올라갈 것이다. AI 시대에 우리는 자존감이 없으면 허무한 육신의 껍데기에 불과한 것이다. 자존감을 높이는 것이 중요한 과제이다.

● 예체능 분야의 능력을 향상하자

예체능은 대한민국의 교육 과정 용어로, 예술과 체육을 합쳐서 부르는 말이다. 예술에도 사전적 정의를 기준으로 노래, 춤, 연기가 있듯이 주로 '예체능'이라고 말하면 모든 예술·체육 과목들을 의미한다. 예체능 능력을 키우자는 것은 운동선수가 되어 억대 연봉과 함께 톱스타, 사회의 유명인이 되는 것을 말하는 것이 아니다. AI의 감성이 없는 삶 속에서 앞으로 정서적인 감정은 예체능교육에서 많은 영향을 받는다. 그렇지 않아도 회색의 도시 아이들은 컴퓨

터와 스마트폰을 끼고 살면서 점점 삭막해지는데 그나마 교육과정 속에 있는 미술, 음악, 체육 시간은 가뭄에 단비와 같이 스트레스속에 사는 학생들에게 하나의 위안이다. 문화 예술은 스포츠는 이제 사치도 장식도 아니다. 문화가 살아야 나라의 품격이 올라간다. 그리고 그게 곧 경쟁력이다. 예체능 과목은 전인교육이라는 국가교육의 보편적인 목적을 달성하는 최소한의 보루다. 우리나라는 삶의 질을 강조하면서도 사회전반의 문화적 기반이 열악하기 그지없다. 이와 같은 사회적 결핍을 채워 가기 위해서도 예체능교육은 육성되어야 할 것이다. 어린 시절의 정서적인 안전성을 위해서도 예체능 교육은 필수적이다. 모든 교육학자들이 어린 시절 예체능 교육의 중요성을 강조하는 것도 같은 이유다. 인성도 실력이다. 라는 말이 있다. 그만큼 인성교육이 절실한 시대가 되었다. 더불어 살아가는 지혜를 일깨워 주는 교육이 바로 예체능교육이라고 본다. 누구나 한가지의 악기를 연주할 수 있고 한가지의 스포츠를 즐길 수 있는 사회가 진정 선진사회, AI시대에 필요한 재능이 아닐는지 생각하게 된다.

● AI와 공존하는 자세와 능력 함양

인류는 지금 AI와 공존하기 위해 집중적으로 대안을 고민해야 할 때이다. 비즈니스 측면에서 AI와 공존 혹은 경쟁하기 위해서는 어떻게 하면 '사람들이 찾는 기술'을 만들 것인지 물음을 던져야 한다. 우리는 선택의 갈림길에 있다. AI에 모든 걸 맡기고, AI가 만들어 내는 세상과 체계의 구성원으로 살아갈 것인가. 아니면, 주체적인 인간으로서 삶을 영위할 것인가. 고민해야 한다. AI 시대에 필요한 개인의 역량을 키워야 한다. 인간은 다음과 같은 핵심 덕목을 갖추어야 한다.

- 호기심과 질문 능력 : AI는 사용자의 질문에 따라 다양한 해결책을 제공할 수 있다. 리더는 호기심을 가지고 지속적으로 질문하며, AI의 잠재력을 최대한 발휘할 수 있는 질문을 던져야 한다.

- 지식과 전문성: AI는 방대한 데이터를 기반으로 한 지식을 제공하지만, 리더는 AI의 결과를 올바르게 해석하고 적용할 수 있는 지식과 전문성이 필요하다.

- 명확한 목표 설정 : AI를 도구로 사용하기 전에 명확한 방향성과 목표를 가져야 한다. 분명한 목표가 있어야 계획을 수립할 수 있다.

- AI 활용 능력 : 계획을 세우는 것은 내가 활용 가능한 능력, 자원, 도구를 어떻게 사용할지 결정하는 것이다. 잘 사용하려면 어떤 도구들이 있고, 어떻게 사용할 수 있는지 알고 있어야 한다.

- 분별력 : AI가 만들어낸 결과가 올바른지 또는 추

구하는 목적에 부합하는지를 판단할 수 있는 능력이
필요하다.

인공지능(Artificial Intelligence) 쉽게 말해 컴퓨터를
이용해 인간의 사고, 지능을 모방하는 기술을 뜻한
다. 기계장치, 프로그램, 소프트웨어 등 인공적인 장
치가 논리적인 사고,
판단, 추론, 학습 등을 수행하는 것을 의미한다. 우
리도 변화하는 세상에 발맞춰 AI, 인공지능 사용 방
법을 익히고 활용할 줄 알아야 새로운 시대, 새로운
시장에서 남들보다 빠르게 앞서 나갈 수 있다고 생
각한다.

사람의 가치를 소중히 여기는 사회

아무리 로봇이 사람의 일을 대신하는 사회에 살게
되었다고는 하지만 상호작용하는 인간의 감성을 대
신하지는 못한다. 챗GPT가 형식적인 글을 대신 적
어 줄 수는 있을지언정 그 사람의 진정성 있는 가치
를 대신 전하지는 못한다. 로봇은 정해진 일만 수행
한다. 아무리 복잡한 수식어일지라도 프로그램을 작
동시켜 적용하면 목적에 맞는 일을 하게 된다. 실수
도 거의 없다. 운영자의 지시에 따라 움직이고 업무

를 수행하기 때문이다. 노동력이 감소하고 단순 직종과 위험한 분야에 종사하고자 하는 사람들이 적을수록 이와 같은 시스템은 더욱 활성화될 것이다. 사람은 무엇을 하면서 살아가야 하는가? 프로그램을 개발하고 로봇을 만들기 위해 기술을 익히고 연구하는 일만 하면 될까? 이는 전문 직종에 종사하는 사람들의 단면적인 일일 것이다. 일반사람들은 아무리 세상이 달라져도 함께 부딪히며 상호작용 속에 살아가게 된다. 사람들은 감성이 있고 서로 이해하고 배려하며 살아가는 존재이다. 군대에서 정밀타격이 가능한 신무기가 나올지라도 이를 다루는 병사들에게는 기술만 익혀서 될 일이 아니다. 군대에서 왜 총기사고가 나는가? 낯선 사나이들끼리 모여서 생활하는 집단이기에 이 속에서 사람이 지녀야 할 가치, 즉 배려심과 인내, 책임 의식이 부족하기 때문에 사고가 일어나는 것이다. 비행기조종사가 아무리 조종기술이 능하고 항공시스템이 완벽하다할지라도 기내 승객들의 안전을 위한 조종사로서의 책임의식이 있어야만 모든 시스템이 정상적으로 작동하는 것이다. 완벽한 인공지능에 의존하여 살아가는 사회일지라도 사람이 먼저이다. 정치인이 큰 권력을 쥐고 자신의 권력을 행사한다 하더라도 사람의 가치를 중요시하지 않는다면 그 사회는 금방 황폐화될 것이다. 유권자들의 권리를 섬기는 문화, 공공복리증진을 위한 정치, 정의사회를 실현하기 위한 문화를 만드는 것은 AI가 아니라 바로 사람의 가치를 중시하는 우리 인간 자신의 문화인 것이다.

함께 공감하는 참여 문화

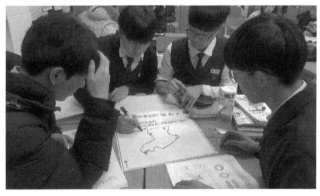

탐구하고 토론하는 학습 문화

자연재해-홍수(2023. 7.)

지난 6월 중순부터 장마전선이 남부지방부터 시작하여 오르락내리락하더니 7월에 들어서는 중부지방에 폭우가 연일 퍼부었다. 호우로 큰 피해가 난 경북의 영주, 문경, 봉화, 예천, 청주, 괴산, 공주, 부여, 익산 등에 대해 정부는 특별재난지역으로 우선 선포되었다. 열흘 동안 300~600mm의 기록적인 폭우가 내린 문경, 예천지역의 인명 및 재산 피해는 심각하다. 18일 정오를 기준으로 전국 사망자가 41명인데 그중 경북지역에서만 22명으로 사망자가 많다. 그 이유는 예천지역 마을에 토사가 덮쳐 인명 피해가 컸기 때문이다. 이번에 산사태 피해지역 10곳 중 9곳은 임야 지역이 아니라 과수원 등 개간 지역이라고 한다. 밤새 내리는 폭우로 인해 급류가 형성되고 개간지의 토사가 무너져 내리면서 마을을 휩쓸고 내려간 것이다. 요즘 기후는 예측이 불가한 변화무쌍이다. 열대지방을 연상할 정도로 강수량이 많은가 하면 언제 그랬냐는 듯 30도가 훨씬 넘는 한낮이 이어지고 있다

홍수를 경험한 나로서는 이번 폭우가 남의 일이 아니었다. 43년 전 1980년 7월 중순 고등학교 3학년 때의 일이다. 아침부터 내리는 비를 맞으며 등교하였는데 비는 그칠 술을 모르고 오전 내내 쏟아져 내

렸다. 학교에서는 안전을 고려하여 오전수업을 하고 모두 하교를 시켰다. 앞을 분간할 수 없을 정도로 쏟아지는 폭우를 맞으며 하교하는데 하천가의 길은 모두 없어져 버렸고 붉은 토사가 흐르는 하천으로 변하였다. 후배들의 안전을 위해 산을 거슬러 올라 능선을 넘어 집으로 향하기로 하였다. 교복은 온통 비에 젖어 버렸고 불안감으로 콩닥 이는 가슴을 쓸 어내리며 10여 명이 넘는 후배들을 데리고 폭우를 뚫고 귀가 하였다. 군대에 가서도 그렇게 비를 맞으 며 훈련을 한 적이 없다. 그런데 이때부터가 문제였 다. 한 번도 홍수가 없었던 마을인데 모두 산으로 피신하라는 이장님의 다급한 방송이 나오기 시작한 다. 소를 키우던 사람들은 소를 몰고 산기슭으로 오 르고 있었고 대부분 마을주민은 우산만 쓰고 산으로 올랐다. 나 역시 부모님과 동생들과 그렇게 피신하 였다. 텔레비전에서만 보던 모습을 실제로 감당하고 있음에 두렵기도 하였다. 하천으로 흐르던 물줄기가 자연제방을 넘어 마을 쪽으로 잠식되어 오는 모습은 지금도 잊을 수가 없다. 붉은 황토물이 논에서 자라 고 있던 푸른 벼를 모두 집어삼키고 수십 년 동안 말라 있던 흙집을 무너뜨리기 시작하였다. 옛집들은 지붕만 슬레이트, 기와지붕이지 벽은 모두 흙벽돌이 아니던가. 버섯구름을 형성하며 무너져 떠내려가는 집들을 바라보며 통곡하시는 동네 어머니들의 울음

소리가 아직도 귓전을 울린다. 우리 집도 예외는 아니었다. 그렇게 퍼붓던 폭우가 잠잠해지더니 마을을 에워싸고 흐르던 큰물은 야속하게도 모든 걸 쓸어버리고 물러났다. 이때부터 마을회관에서 함께 기거하며 정말 거지 아닌 거지가 되어 어머니들은 세수도 제대로 하질 못하고 사셨다. 부모님과 남동생 둘, 이렇게 빙 둘러앉아 무너진 집터에서 배급된 라면을 끓여 함께 먹고 있노라니 눈물이 핑 돌았다. 지금 생각해도 눈물이 난다. 이때부터 고생만 하다가 돌아가신 부모님을 생각하면 가슴이 메인다. 3개월이란 짧은 시간에 벽돌을 만들고 새롭게 집을 지어 입주를 하였는지라 정말 고생이 이만저만이 아니었다. 자연재해가 있고 난 후 약 2년 동안은 동네 자연제방을 높이고 이웃마을은 떠내려 간 다리를 놓고 정비를 하는데에만 엄청난 시간이 걸렸다. 세월이 지나도 아물지 않는 건 이때 받은 마음의 상처일 것이다. 정든 집, 농경지 및 농기구 손실 등 생활공간이 사라져 버린 심리적 불안감은 세월이 지나도 치유되질 않았다. 그 때 고생만 하시다 지금은 모두 고인이 되어 버린 부모님들이다. 40년이 지난 오늘 내가 그때 부모님 나이 되어 또다시 자연재해를 맞이 하고보니 답답하기 그지 없다. 아무리 세상이 달라져도 막을 수 없는 자연재해. 고귀한 생명까지 앗아가 버린 이번 자연재해를 보면서 무엇이 문제인지 다시

한 번 더 고민할 수 밖에 없다. AI가 발달하고 첨단 장비가 있다한들 지난 40년 전보다 더 큰 인명 및 재산피해가 나타남을 어떻게 해석할 것인가? 안타까울뿐이다.

홍수가 지난 자리 위치한 소나무

교권 추락은 왜 일어나는가?

'스승의 그림자는 밟지도 않는다.'라는 말이 있다. 한 때 스승은 임금과 부모와 같은 존재로 존중되는 군사부일체(君師父一體) 대상이었다. 일상적인 밥상머리 교육으로 선생님 말씀 잘 듣고 열심히 공부할 것을 가정에서는 늘 자녀들에게 당부하는 분위기였다. 학교에서 선생님께 매를 맞고 돌아온 날 부모님은 오히려 자녀를 나무라며 다그쳤다. 아무리 담임선생님이 괴팍스럽고 무서운 분일지라도 자신이 잘못된 줄로 알았고 선생님 말씀을 따랐다. 학교에 가면 모든 선생님은 우리 반 담임선생님이 아닐지라도 존경받는 선생님 그 자체였다. 그러나 지금은 상황이 완전히 달라졌다. 그 이유가 무엇일까?

지금 학교에 근무하는 선생님의 종류는 무척 다양하다. 교문에서부터 만나는 배움터 지킴이 선생님, 교실에 수업 들어오시는 선생님은 정규직 선생님, 기간제 선생님, 전일제 강사 선생님, 시간강사 선생님, 방과 후 강사 선생님이 계신다. 교무실에 가면 교무행정사 선생님이 근무하고 있고 행정실에는 행정업무 직원 선생님들이 근무하신다. 낮이면 노인 일자리 창출로 인한 어르신들이 잔디밭을 일구고 계신다. 학교 근무하는 부류가 너무도 다양하다. 이점이 과거와 다른 가장 큰 학교 모습이 아닐까? 학생과 학부모들에겐 모든 선생님이 그냥 예나 지금이나 같은 존재로 여겨졌으면 좋으련만 실제 그렇지 않다. 자녀의 담임도 정규교사가 배정되기를 기대한다. 정규교사가 아니면 왠지 가볍게 생각하고 대하는 태도가 보인다. 생활지도를 하려고 하면 확연히 달라진다. 학생의 태도에서도 정규교사가 아닌 기간제 선생님이 나무라면 오히려 격앙되며 달려든다. 교사 자신도 기간제 교사, 계약제라고 하는 사실에 주눅이 들어 무게감이 줄어드는 것도 문제다. 앞으로 디양화되는 학생선택형 교육 과정 운영으로 선생님의 이러한 분류는 더욱 다양화될 것이기에 선생님은 지식만을 전하는 지식전달자의 역할로 끝나고 생활지도 등을 위해 적극적으로 나서는 선생님은 보기 어려울 것이다. 요즘 학교 교육에서 학생의 인권이 중요시 되고 생활지도는 많이 희석되어 가고 있다. 급변하는 사회변화와 학교문화가 함께 동일시되어 변화되어 가는 느낌이다. 학생이 배우고 선생님이 가르치는 학교가 되어야 하거늘 미디어 문화가 스승이고 인권을 먼저 강조하는 학생과 학부모들의 태도가 있음에 교권은 저만치 사라지고 있는 것이다. 조금 늦게 가야 할 곳은 늦게 가야 한다. 그리고 조금은 늦게 변화되는 것도 있어야 한다. 인성교육은 절대 속도를 낼 수 없다고 본다. 성숙 되지 못한 어설픈 길을 가고 있는 시절이 바로 청소년이다. 청소년들이 있는 곳은 조금 천천히 생각하고 가야 하지 않을까? 선생님의 가르침과 안내를 받아 갈 수 있도록 모두가 도와야 한다. 자신의 권리만 찾는 것이 아니라 남의 권리와 자유도 중요함을 인지하도록 가르쳐야 한다. 학교폭력을 일으킨 학생을 선도하고 피해를 입은 학생을 보호하며 인권이 소중함을 일깨워 주는 교육풍토가 조성되어야 하며 가해학생 보호자는 이를 받아 들이는 성숙된 마음으로 아이의 성장을 도와야 할 것이다. '인성도 실력이다.'라는 말이 있다. 공부만 시키는 학교가 아니라 지역사회와 함께 하는 학교 문화를 만들어야 한다. 다양화되는 현실교육에서 이에 알맞은 인성교육지표를 만들어 제대로 된 학교 교육이 이루어져야 한다. 이를 해결하지 못하면 앞으로 계속적인 교권침해는 나타날 것이다. 매 맞는 부모, 매 맞는 선생이 나타나는 현실이 참으로 부끄럽다. 모든것을 담임교사에게만 떠 남기려는 무책임한 우리 사회의 모순에서 하루빨리 탈출하기를 학수고대해 본다.

- 세월이 지나도 우리가 가져야 할 소중한 덕목?

소통	역량	존중	배려	참여	책임	창의
나눔	헌신	자율성	협력	준법	도전	가치
열정	관심	수렴	전문성	공감	혁신	토론문화
용기	주인의식	비전	평등	절차	역할	윤리
질서의식	솔선수범	사랑

Draw your Dream! 너의 꿈을 펼쳐라!
- 아쉬운 세계 스카우트 잼버리대회

2023 새만금 「제25회 세계 스카우트잼버리」 주제인 ´Draw your Dream!´은 스카우트운동의 미래인 대원들이 자신이 원하는 대로 마음껏 세계 스카우트 잼버리를 만들어가고, 잼버리를 통해 자신의 꿈을 크게 그려가기를 바라는 마음을 마음껏 펼칠 수 있는 세계 잼버리가 우리나라 전라북도 새만금 간척지에서 160여 개국 청소년 4만여 명이 모여 개최되었다. 영국은 무려 4천여 명의 청소년들을 대거 참가시켰다. 그러나 세계 청소년들의 꿈과 희망은 절망으로 변해 갔다. 개최지엔 나무 한 그루 없는 넓은 간척지로 연일 38도를 오르내리는 폭염과 모기 등 해충으로 곤욕을 치르게 되었다. 이동 화장실 및 샤워장은 열악하였으며 하루에 온열 환자가 천여 명씩 속출하는 사태가 발생하였다. 준비 과정을 두고 서로 갈라치기도 모자라 지역 분열까지 획책하는 못된 습성들이 쏟아져 나왔다. 해외에서는 준비 소홀로 인한 주변환경과 환자속출 등 열악한 환경을 보도하기 시작하였고 이를 본 부모들의 원성은 하늘을 찔렀다. 결국 영국을 시작으로 스카우트 대원들을 철수시키는 국가가 나타나는 초유의 사태가 발생하였다. 참 이해가 되질 않는다. 왜 세계 청소년 야

영대회 축제를 아무 준비 없이 시행하였는지 도무지 이해가 가질 않는다. 조그만 학교에서 체험활동을 준비하더라도 이렇게는 하지 않는다. 폭염과 텐트 생활을 해야 하는 주변 환경, 위생, 해충 문제, 태풍 발생 등 가장 기본적인 일상에 수천억을 투자하여 준비한 모습이라고는 도저히 상상할 수 없다. 결국 6호 태풍 카눈으로 인하여 4만여 명에 달하는 스카우트 대원들이 모두 철수하는 또 다른 사태를 맞이한 것이다. 1,100여 대의 버스가 대원들을 실어 나르는 모습은 전쟁터에서도 볼 수 없는 긴 대열의 이동 모습이었다. 대원들은 서울, 대전 등 각 지역으로 분산 배치하여 야영이 아닌 호텔과 대학 기숙사에서 생활하며 지역 관광과 대한민국 전통문화 관람으로 파행 진행을 초래하였다. 반면 우리나라 청소년들은 외국 청소년 우선 배정으로 교회 강당에서 피난민과 같은 단체 취침과 생활로 역차별을 받는 희한한 모습을 연출하기도 하였다. 8월 7일 영국 BBC와 로이터 통신은 맷 하이드 영국 스카우트 연맹 대표가 "우리는 주최 측에 실망감을 느낀다." 면서 가기 전부터, 그리고 행사 중에 우려 일부를 되풀이해 제기하였고 시정될 것이라는 약속을 받았는데 그렇지 않았기 때문'에 새만금 야영지를 퇴영하였다고 보도하였다. 지금 가장 중요한 것은 우리는 서로 남 탓을 하려고 할 것이 아니라 세계 청소년들이 자국으로 돌아가기 전 최선을 다하여 그들에게 새로운 축제 의미를 부여하고자 노력하여야 할 것이다. 우리는 이번 잼버리대회를 통하여 큰 교훈을 가져야 한다. 일정과 관련하여 기후, 지형 등 자연환경을 반드시 살피고 충분한 편의시설, 의료시설 등을 갖추고 청소년들을 맞이해야 한다. 행사만 유치해 놓고 예산을 제대로 사용하지 못하고 낭비만 하는 세태를 바로 잡아야 한다. 담당자는 책임의식을 가지고 모든 역량을 쏟아부어야 한다. 철저한 관리 감독을 통해 행사 전에 몇 번이고 시정되어야 할 것이다. 세계 4만여명의 청소년들을 사막과 같은 뙤약볕과 해충들이 들끓는 간척지 웅덩이 옆에 텐트를 치고 무엇을 했는지 통탄할 일이다. 부끄럽고 부끄러운 대한민국 잼버리대회가 아닐 수 없다. 이 모든 건 지도자들의 안일함으로 인해 나타난 결과라고 본다.

태풍 카눈으로 철수하는 대원들(SBS뉴스)

2023. 8.

교직의 신성함은 어디로!

텔레비전 뉴스를 통해 서울 00 초등학교 담임교사의 극단적 선택이라는 기사를 보며 우리 사회에서 교직이란 무엇인가를 생각해 보게 된다. 초등학교 교사가 되기 위해선 교육대학을 졸업해야 한다. 전교에서 최상위권에 해당하는 학생들이 주로 선호하는 대학이며 졸업 후엔 존경받는 교사로서 자긍심이 대단하다. 몇 해 전만 하더라도 초등학교 여학생들의 꿈은 선생님이 많았다. 그러나 지금은 정반대가 되었다. 인구절벽으로 인해 학교는 줄어들고 교대를 졸업해도 발령을 바로 받을 수 없는 사회적 환경, 그리고 학부모들의 교사에 대한 인식도가 많이 달라졌기 때문이다. 과거와 다르게 학부모들의 학력이나 사회적 지위 등도 많은 변모가 있다. 교사에 대한 인간적 관심보다도 직업군으로 분류하여 판단하는 단순 직업 인식이 만연하다. 또한 자녀가 적은 관계로 자기중심적인 사고로 변해 모든 잣대를 교사의 가르침보다는 개인의 사고적 판단으로 평가하려 하고 있다. 학교는 과연 무엇을 하는 곳인가? 의문이 든다. 시골 학생들도 대부분 과외를 하는 분위기이다. 학원버스를 타고 방과 후엔 학원을 오가며 과외하고 있다. 등교하여 수업 시간마다 졸고, 쉬는 시간 친구들과 노는 곳? 공부는 학원에서? 2023년 8월 현재 서울 강남지역 고등학교 1학년 학생 8,050명이 자퇴를 하였다고 한다. 원인은 대학입시에서 내신의 불이익을 받을까 우려하여 검정고시를 보고 대학 정시전형으로 가겠다는 것이다. 이는 대학만 잘 가면 우리 사회에서 성공할 수 있다는 논리이다. 지금까지 세월이 지나도 해결되지 않는 현상이다. 현재 대학입시 개혁 등 다양한 입시제도의 변화를 거쳐 왔지만, 국민의 만족도를 높여주지는 못하고 있다. 앞으로 또 한 번 대변혁이 예상된다. 그것은 대학 입학 정원이다. 출생하는 신생아보다 현재 대학 입학 정원이 두 배에 이른다. 앞으로 20여 년이 지나면 이를 어찌 해결할 것인지. 시간은 금방 흐른다. 우리가 20여 년 전 내신만 잘 보면 대학에 쉽게 진학할 수 있다고 했다. 자신이 잘하는 과목 하나만 있어도 희망이 있다고 했다. 그러나 지금 우리는 아직도 혼돈 속에 산다. 내신을 잡을 것인가? 수능을 잡을 것인가? 고민하면서 산다. 앞으로 수 많은 대학이 사라져야 한다. 20여 년에 걸쳐 사라지는 대학들을 지켜보게 될 것이다. 대안이 있어야 할 것이다. 지역사회와 함께 할 수 있는 과감한 투자와 대학별 통합이 이루어져야 한다. 모두가 상생할 수 있는 방법을 찾아야 한다. 이제 우리는 대학 가는 것이 중요한 것이 아니라 인간이 지녀야할 최소한의 도덕을 가지는 교육이 필요하다. 그리고 자신만이 가지는 재능을 발휘하는 사회가 되어야 한다. 공부만 해서 일류대학에 진학하는 것만이 능사가 아니라는 것이다. 우리 사회가 존속되고 발전하는 것은 일정한 인구 크기와 다양화된 사회가 이루어져야만 가능하다. 세계에서 가장 낮은 합계출산률을 지닌 국가로서 지금 우리에게 필요한 교육이 무엇인가를 짚고 넘어가야 한다. 그동안 우리 사회는 교육이 바로 우리 대한민국을 일궈내었다. 교권이 무너지는 현 사회에서도 누군가는 교육을 통해 올바른 인성을 지닌 주인공들을 길러야 한다. 그들이 마음 놓고 지신의 능력을 발휘하도록 지원하여야 한다. 스승의 그림자를 밟는 사회는 되어도 마음의 상처를 주는 행위는 삼가야 할 것이다. 지나친 입시경쟁이 있는 현사회는 역사 속 한 페이지로 남아 또 다른 변화가 나타날 것으로 기대된다. 교사의 역할과 그에 따른 우리 사회의 기대감은 과연 어디로 흐를지 의문이다

영일고 나라사랑실천/인성교육 2023. 6. 6.)

2023. 8. 24.

후쿠시마 원전 오염수 방류

일본 후쿠시마 제1원자력발전소 운영사 도쿄전력은 24일 오후 1시 3분부터 후쿠시마 제1 원전에 보관하고 있던 오염수를 바다로 방류하기 시작했다. 앞으로 30년간 총 134만 t의 오염수를 다핵종제거설비(ALPS)로 정화 처리한 뒤 바닷물에 희석해 태평양으로 내보내게 된다. 2011년 3월 동일본 대지진 및 지진해일로 인한 제1 원전 폭발 사고 이후 12년 5개월 만이다. 일본 정부는 향후 30년간 오염수를 모두 방류하고 2051년까지 원전 폐로를 계획하고 있다. 이날부터 도쿄전력과 함께 국제원자력기구(IAEA)는 홈페이지에 오염수 내 잔류 방사성 물질 농도 등을 공개했다. 방류 첫날 공개된 삼중수소 농도, 방사선량 등은 모두 기준치 이하이였다. 우리나라 한덕수 국무총리는 대국민 담화문을 발표하고 일본 정부에 "앞으로 30여 년간 계속될 방류 과정에서도 투명하고 책임감 있게 정보를 공개하기를 기대하고 촉구한다."라고 말했다. 이날 중국은 일본으로부터 모든 수산물을 수입 금지 조치한다고 발표하였다. 오염수가 국내 해역에 흘러오기까지는 최소 4, 5년이 걸린다고 한다. 표층수(해수면에서 지하 200m까지)의 경우 4~5년이 걸리지만, 아표수

(200∼500m)의 경우, 동중국해에서 대만해협을 통해 대한해협으로 흘러오기 때문에 7개월∼1년 사이에 우리 앞바다에 도달할 수 있다고 한다. 태풍과 대형 화물선의 평형수까지 가세한다면, 오염수는 더 빨리 우리 바다에 올 수 있을 것이다. 24일 저녁 뉴스 시간에 보도된 포항 죽도시장의 모습을 보면 바다 수산물을 찾는 관광객의 발길이 뚝 끊어진 모습을 볼 수 있다. 물건을 사러 오는 사람들보다 상인들이 더 많은 모습이다. 다음 달 추석 대목을 바라보고 있는 상인들의 근심 어린 모습들이 안타까울 따름이다. 지난 2011년 원전 사고로 인하여 수산시장의 어려움이 있었는데 이번에도 지난번과 같이 장기간 이어질 수산물 소비의 급감을 예상하면 상인들의 걱정이 우려되지 않을 수 없다. 오염수를 방류할 수밖에 없는 일본 정부, 그리고 태평양연안국들의 고심 어린 모습. 결국 방류를 시행한 이상 앞으로의 대책이 더 절실하게 이루어져야 할 때라고 본다. 오염수 내 방사성 물질 농도의 정확한 체크가 이루어져야 할 것이며 수산시장에서는 수산물에 대한 방사성 물질 농도의 체크가 정확히 이루어져 소비자들이 안심하고 먹을 수 있어야 하겠다. 하루 이틀도 아니고 앞으로 30년에 걸쳐 방류를 해야 한다고 하니 이를 규정대로 잘 지켜 나갈지도 의문이다. 국가 간 신뢰가 과연 잘 지켜질 것인가. 그리고 이

로 인한 자국의 수산업계 피해액 보상은 한다지만 타국의 수산업계 타격에는 어떻게 보상해야 할지도 고민해야 할 것이다. 자금 우리나라는 여당과 야당이 서로의 입장을 달리하고 있어 국민들은 엄청 불안하기 그지없다. 여당은 과학적 논리를 가지고 피해가 없을것이라고 하고 야당은 일본 정부의 행태에 동조하는 정부의 잘못과 국민들의 수산물 소비 감소로 인한 대책을 강력하게 요구하고 있다.

2024. 2. 28.
대한민국 정치는 변화가 없다.

제22대 국회의원 선거를 앞두고 각 당은 후보자 공천심사를 통해 선거에 입후보할 대상자를 발표하고 있다. 초등학교 시절부터 지금까지 보아 온 국회의원 선거는 발전이 없다. 30년 전이나 지금이나 공천을 받지 못하면 탈당과 함께 다른 당으로 당적을 옮기고 이해관계가 맞지 않는다고 아예 무더기로 탈당하여 새로운 당을 만들기도 한다. 이러한 모습은 조용하다가도 꼭 선거가 임박하면 늘 보는 모습이다. 고등학교 시절 역사 시간에 조선의 당파싸움이 생각난다. 동인, 서인, 남인, 북인, 노론, 소론 조선 중기 척신 정치 청산을 둘러싸고 사림 내 동인과 시인으로 시작한 붕당이 동인은 남인과 북인으로, 서인은 노론과 소론으로 바뀌게 된다. 개혁적인 동인이 정여립 모반사건을 계기로 남인과 북인으로 나뉘고 임진왜란 이후 광해군이 즉위하면서 북인이 정국을 주도 하게 되었으며 인조반정을 주도한 서인이 남인 일부와 연합하여 정국을 주도하며 붕당 정치가 본격화되었다. 현종 때는 효종과 효종비의 사망을 계기로 복상 기간을 두고 두 차례 예송(禮訟)이 발생, 서인과 남인이 대립하게 된다. 아무튼 예나 지금이나 정치적인 갈등은 변함이 없다. 그 모습도 여전하다. 같은 당이면서도 계파가 있고 공천 과정에서 계파 갈등으로 탈당이 이어지고 다른 당과 연합하여 새로운 당을 만들고, 400~500년이 지난 오늘날 우리나라 국회의원 선거의 현주소이다. 세계 경제적 영향력은 세계 10위안에 속한 우리나라는 정치적 수준은 과연 어디에 속할까? 한마디로 부끄럽다. 태국 잠롱 시장은 1985년 태국에서 처음 시행한 지방자치단체선거에서 투표의 50%를 차지, 최초의 민선 시장으로 당선되었다. 그는 아침 출근길에 쌀, 비누 등 생필품을 차에 싣고 가다가 만나는 청소원들에게 나누어주었다. 그의 인기는 첫 번째 임기 4년 동안에 더욱 치솟았다. 그는 두 번째 선거에서는 투표의 62%를 얻어 압승을 거두었다. 태국의 부패 척결이 가능했던 근본적인 원인은 잠롱 시장이 청백리의 모범을 보여 준 결과이다. 그는 청렴한 공직 생활을 하여 '나이시안'이라는 별명을 갖게 되었다. 이는 태국말로 '깨끗한 남자'라는 뜻이다. 그는 시장으로 재직하면서 집 한 칸 없이 폐품 창고를 개조해 생활하였다. 그가 받은 월급은 모두 자선 단체에 보내고 부인이 국수 가게를 하며 번 돈으로 생활비를 충당하였다. 또한 시장직에서 물러나면서 약 40억 바이트(약 1천2백억 원)나 되는 거금을 방콕시에 남겨 주었다. 연일 방송국에서는 22대 국회의원 공천 관련 뉴스가 나오고 있다. 우리나라 국회의원들의 특권을 없앤다면 과연 저들의 모습은 어떻게 바뀔까? 면책특권, 불체포특권, 국회 다수의 보좌관 배치 등 국회의원의 특권은 선진국과 차이가 난다. 우리나라 국회의원 세비는 국민소득 대비 세계 최고라고 한다. 스웨덴 국회의원은 특권 없이 4년간 국가에 봉사하며 재선을 꺼리고 있다. 우리나라 국회의원은 국회 활동을 하지 않아도 월급이 나오며 교도소에 가도 월급이 나온다. 국회의원 연봉은 1억 5500만원이다.(2023년) 연봉이 다가 아니다. 후원금, 해외여행 경비, 자동차 유류비가 매월 110만 원, 자동차 유지비 매월 36만 원, 운전기사 공무원 채용, 항공기와 KTX 무료 사용 등의 혜택을 누린다. 국회의원 특권이 무려 180개라고 하니 입이 다물어지질 않는다. 반면 영국 싱크탱크 레가

툼 연구소에 따르면 우리나라 정치인에 대한 신뢰도는 전 세계 167개국 가운데 114위에 있다. 월급을 많이 받고 활동비를 많이 받으면 책임감 있고 국민에게 신뢰받으며 열심히 일을 해야 하지 않겠는가. 아직도 옛 조선시대 관료들과 마찬가지로 당파싸움만 일삼고 있으니 자라나는 청소년들이 무엇을 배우겠는가. 지난 35년간 학생들을 지도하며 보아 온 우리나라 정치인들의 행태는 그야말로 코미디이다. 국회의원들의 특권을 없애고 봉사직으로 하면 어떨까? 특권이 없다면 공천을 받기 위해 계파 갈등이 생기고 당적을 버리고 다른 당에 입당하는 일이 생길까? 어제의 동지가 하루아침에 적이 되어 칼을 겨누는 세상이 아직도 우리나라 정치 세계이다. 누구를 위한 길인지 묻고 싶다. 과연 그들에게 국민은 안중에 있는지. 태국 잠롱 시장 같은 인물이 우리나라에도 나타나기를 학수고대해 본다.

2024. 3. 5.

누구를 위한 의료 공백인가!

의대 정원 2,000명 증원발표. 정부가 2025학년도 입시에 전국 의과대학 입학 정원을 3,058명에서 5,058명으로 19년 만에 2,000명을 늘리는 방안을 추진한다. 이렇게 되면 2035년까지 최대 1만 명의 의사 인력이 확충될 것이라고 한다. 그러나 반대 목소리도 크다. 이유는 향후 인구감소로 인해 수요도 감소할 것이며 의료비 증가 우려, 의료 서비스 질 저하 우려가 된다는 것이다. 국민은 대다수 현재 고령화 등으로 의사 수 부족, 의료 품질 향상을 위해 증원이 필요하다고 이야기하고 있다. 그러나 의료계 반대에 부딪혀 의대 정원 확대는 번번이 유보됐다. 2012년 이명박 정부가 의대 정원 확대를 논의하는 태스크포스팀(TF)을 구성 했지만 의사 단체들의 협조를 받지 못했고, 문재인 정부는 연 400명씩 10년간 4,000명을 늘리려 했지만, 의사들의 총파업으로 무산됐다. 현 정부는 그동안 타협되지 못한 의대 정원을 발표하고 각 대학에 의대 정원 인원 신청을 받고 있다. 이에 대한의사협회에서는 반대 성명을 발표하고 대학병원 및 전국적으로 전공의, 인턴까지 진료를 거부하며 사표를 내고 출근하지 않는 상황으로 치닫고 있다. 또한 각 대학 의과 대학생들이 휴학을 내고 의사 정원 방침에 반대를 표명한 상태이다. 개학을 맞이한 대학 캠퍼스에는 젊음이 충만하건만 의과대학은 텅 비어 있다. 서울 각 대학 응급실에는 긴급 수술환자가 와도 수술하지 못하는 현상이 속출하고 있으며 정부와 의사협회 간의 갈등이 최고조인 상태이다. 정부는 강력 대응을 발표한 상태이다. 사표를 내고 출근하지 않는 이탈전공의 집단행동 중인 의사들에 대한 면허정지 절차에 돌입, 의료계의 긴장이 높아지고 있다. 의사들의 집단행동이 장기화하면서 일부 병원은 의료 공백이 커지고 있고 모든 피해는 고스란히 환자들이 떠안고 있다. 의사들도 부모님 그리고 가족이 있을 것이다. 가족이 당장 수술이 필요하다면 그들은 어떻게 할까? 의사는 일반직업과는 다르다고 본다. 사람들의 생명을 담보 삼아 그들의 목적을 달성하고자 해서는 안 된다. 갈등을 해소하고자 정부와 의사협회 대표자가 만나 타협을 하여야 한다. 환자들의 입원과 수술이 연기되고 응급환자 진료마저 지연 되고 있는 의사들의 집단행동이 심히 우려되고 있다. 의사들이 이야기하는 미래 우리나라의 의사 수가 중요한 것인지 지금 당장 우리나라에 필요한 환자 수 대비 의사 수가 필요한 것인지는 정부와 의사협회 간 수급 현황을 고려하여 슬기롭게 해결해 나갔으면 한다.

2024.3.15.

고향 가은 누님

천사 같던 가은 누님이 세상을 떠나셨다. 참으로 슬프다. 누님은 가은 성당을 다니셨다. 누님의 세례명은 마르타이다. 마르타는 신약성서 베다니아 마을에 살았던 여인이다. 예수는 이 가정과 친했다고 한다. 그녀의 이름은 남을 돌보아 주기 좋아하는 유형의 여인을 대표하는 이름이다. 누님은 세례명과 같은 삶을 사셨다. 누님은 늘 가정과 이웃을 위해 헌신하고 기도하면서 살았다. 누님과 함께 나누었던 시절이 스쳐 지나니 눈시울이 뜨겁다. 고등학교 시절 홍수로 인해 마을이 침수되고 우리 집은 무너졌다. 그때는 말로 표현할 수 없는 지경이었다. 먹을 식량도 없고 덮고 잘 이불도 없어 마을회관에서 동네 사람들과 추위에 떨어야만 했었다. 고3으로서 참 막막했다. 우여곡절 끝에 서울 형수님의 덕택으로 대학에 진학은 했지만 당장 자취방을 구해야 하는데 월세가 발목을 잡았다. 이때 가은에서 용궁 미장원을 운영하던 누님이 선뜻 월세를 해결해 주셨다. 힘들게 버신 돈을 동생을 위해 무려 4년 동안이나 도와주셨다. 두 살 아래인 남동생이 교육대학에 진학하면서 함께 대학 생활을 할 수 있었던 건 순전히 고향 누님이 큰 힘이 되었기 때문이다. 고향에 다녀갈 때마다 누님 댁을 방문하곤 했는데 그때마다 누님은 어렵게 번 돈을 용돈으로 매번 챙겨 주었다. 매형께서도 늘 처남들을 위해 마음을 내주셨다. 군대에서 제대한 후 대학에 복학할 때 양복을 맞춰 주시기도 하였다. 부모님이 연로하셨고 집 가까이 사시는 관계로 오며 가며 들르는 어린 처남을 위해 보호자 역할을 해 주신 그 마음을 어찌 잊으리오. 누님을 통해 나는 새로운 문화를 많이 접하였었다. 중학교에 다닐 때 누님이 사다 준 손목시계는 친구들에게 큰 자랑이었다. 그리고 중학교 2학년 때 키가 자라 발목이 드러난 교복을 보고 새로운 교복을 맞춰 주어 너무 행복했었던 순간을 지금도 잊을 수 없다. 내가 결혼 때 혼수 시계, 아내의 목걸이도 직접 사서 챙겨 주셨다. 그야말로 부모님 대신으로 신경을 써 주신 것이다. 과분한 사랑이었다. 요즘 세상에 아무리 부자라 할지라도 이렇게 하기란 쉽지 않을 것이다. 누님을 통해 나는 세상 밖으로 나갈 수 있었고 꿈을 이루고자 하는 목표가 생긴 것 같다. 누님은 오랫동안 당뇨를 앓아 오셨다. 미장원을 그만둔 후 집에서 텃밭을 가꾸면서 건강을 챙겨 오셨다. 최근 가은 누님 댁을 찾노라면 누님은 어지럼증이 있어 마을을 다니기도 힘들다고 말씀하셨다. 그러면서도 전화를 걸면 집에 와 식사하고 가라고 늘 부추기신다. 작년 늦 가을 누님은 청국장, 배추전, 메뚜기볶음 등 잔뜩 상을 차려 용인에서 다니러 온 동생, 함창에 살고 계신 누님과 매형까지 초대하여 자리를 마련하셨다. 이게 누님과 한 마지막 식사였다고 생각하면 가슴이 멘다. 늘 남을 위해 베풀고자 하는 마음, 나눔을 실천하면서 사신 한평생이다. 요즘과 같이 의술이 좋

은 세상에 일흔이라는 나이는 너무 아깝다. 하느님
도 무심하다. 좀 더 좋은 일 많이 하고 난 후 데리
고 가시지. 생전에 보여주신 누님의 따스한 미소를
잊을 수 없다. 누님의 명복을 빕니다.

누님이 차려주신 마지막 식사(2023. 11.)

학교 교육의 나아갈 방향

100세 시대에 걸맞은 학교 교육은 어떤 교육을 해
야 미래에 행복한 삶을 살아갈 수 있을까? 지난

60~90년대에 교육은 출세 지향적인 수단이었다. 사실 지금도 진행형이다. 대학을 나오고 명문대학을 나오는 것이 곧 출세의 지름길이다. 그래서 대학에 가기 위해 이름만 바뀐 예비고사, 본고사, 학력고사, 대학수학능력시험이라는 시험을 치고 한 문제라도 더 맞히기 위해 밤을 새워 코피를 쏟으며 공부하였다. 그러나 세월이 흐르면서 대학도 많이 생기고 2020년을 지나면서 인구절벽 시대를 맞이하여 대학 정원보다 수험생이 더 적은 시대가 도래하고 있다. 벚꽃이 피는 순서대로 대학은 문을 닫는다는 말이 나올 정도로 수도권을 제외한 지방대학은 정원을 채우지 못하고 있다. 우리나라 총인구는 51,801,449명(2023년 기준)이다. 2023년 합계출산율은 0.76명으로 OECD 국가 중 가장 낮다. 반면 노인 인구는 통계청에 의하면 2025년 전체인구 중 65세 이상 인구가 1천만 명을 넘게 된다. 2030년엔 전체인구 중 24%, 2040년엔 32%를 차지한다. 노인 문제가 심각하다. 30년 직장을 마치고 사회에 나오면 10~20년 살다가 수명을 다하던 시절과는 달리 요즘은 100세 시대라고 하니 20~30년을 더 살다가 세상을 떠나는 시절이 되었다. 70대 자식이 90대 부모를 부양해야 하는 시대다. 반면 2023년 우리나라 신생아 수는 23만 명이다. 혼인 건수는 10년 새 40% 감소하였으며 혼인하고도 출산하지 않는 가구

가 증가하고 있다. 이러한 사회적 문제는 왜 일어나고 있는 것일까? 과거부터 우리나라의 고질병인 교육비, 주택 마련 등으로 경제적인 요인이 가장 크기 때문이다. 또한 여성들의 사회진출로 인한 육아 문제 등이 큰 부담으로 작용하기 때문이다. 이제 우리의 교육은 달라져야 한다. 입시 위주 교육에서 개성을 살리고 자신이 하고 싶은 일을 하면서 살아갈 수 있는 전문성을 길러주는 교육이 되어야 한다. 그리고 노인들이 소외되지 않는 환경을 조성하여야 한다. 따라서 상호 작용하며 살아가는 인성교육이 무엇보다 중요한 시기이다. 전문성을 살리는 교육과 건강한 삶을 위한 예체능교육이 더 강화되어야 한다. 우리는 60, 70년대에는 조직 속의 협동을 중시하고 가족애를 가지며 살아 왔다. 밥상머리 교육을 가정에서 할 수 없는 지금의 환경에서 학교는 인성교육의 요람이 되어야 한다. 나눔과 배려를 실천하고 더불어 살아가는 미덕을 쌓아야 한다. AI가 사회 요소요소에서 영향을 주고 식당에서 배달까지도 로봇이 하는 세상이지만 사람 내음을 느끼며 사람 사는 세상을 만들어야 한다. 삶에 있어서 감성교육이 중요한 시기이다. 지난 35년 동안 교직에서 가슴 깊이 새긴 나의 교육철학은 학생들과의 동행 그리고 소통이었다. 그러면서 자율과 책임 의식을 특히 강조하였다. 물리적인 비인간적 교육도 있었지만 지니고 나니 비인간적이었던 교육은 마음에서 더 우러나온 것이 아니었나 싶다. 요즘은 학부모와 교사 간 갈등, 교사와 학생 간 갈등, 과거엔 생각지도 못했던 교사의 극단적 선택, 성적으로 인한 학생의 극단적 선택 등 충격이 더해지고 있다. 아무리 AI시대라 하더라도 인간의 감성교육은 로봇이 대신할 수 없다. 저출산, 노인 인구 증가 등 사회구조의 변화가 일어나고 있는 이때 시민이 아닌 민주시민으로 성장할 수 있는 우리나라 학교 교육이 체계화 되어야 함을 강조하고 싶다.

다시 새내기가 된다면?

1. 기록을 남긴다.

시간은 흐르는 물과 같다. 자신이 맡은 분야에 집중하다 보면 1년이란 시간은 금방 지나가기 마련이다. 아무리 바빠도 자신에 대한 기록을 남기자. 매일 쓰는 일기가 아닐지라도 자신이 경험한 상황들을 기록으로 남기면 훗날 많은 도움이 된다. 세월이 흘러 직장을 그만두게 될 때 자신만의 기록은 훌륭한 자서전이 될 수 있다. 인생 경험과 사물에 대한 느낌 등 다양한 글들은 살아 온 과정에서 느낌도 변화됨을 알게 되며 사회현상을 통해 시대의 흐름도 기억해 볼 수 있다. 자신을 되돌아보는 기회가 된다.

2. 예의 바른 행동으로 상호작용한다.

요즘은 인성이 곧 실력이다. 인간관계는 성과만을 위해 살아간다면 목표는 달성할 수 있어도 곧 도태되고 무너질 수 있다. 자신을 도와주고 어려움을 함께 이겨 나가는 대상자가 있어야 한다. 그래야 건강한 삶을 이룰 수 있다. 인간은 혼자서 살아갈 수 없다. 가정이든, 직장이든 혼자는 외로운 마라톤을 해야만 한다. 함께 갈 때 더 멀리 갈 수 있고 도와주는 동반자가 있을 때 더 오래 갈 수 있다.

3. 약속을 잘 지키고 책임감 있는 행동을 한다.

신뢰가 성공의 열쇠이다. 친구와 약속하거나 누군가와 약속 할 때는 약속된 시간보다 일찍 나가서 기다려라. 예정된 시간을 지나서 나타나면 상대방은 가고 없거나 신뢰감을 잃게 된다. 약속을 잘 지키는 사람은 어느 곳에서나 부지런히 일에 임하는 사람이다. 자신이 맡은바 시간을 지키고 책임을 완수한다. 하지만 약속을 잘 지키지 않는 사람은 태만하다. 지유 분방하여 타인에게 싫은 소리를 하지 않으며 관심도 없다. 자신이 해야 할 일에 대해 진지함이 덜하고 책임 의식이 적을 수 있다.

4. 솔선수범하는 리더가 된다.

　이른 아침 등교를 하거나 직장에 출근하여 책상에 앉아 있지 말고 창문을 열고 환기를 시키고 청소하자. 남들이 늦게 오더라도 미루지 말고 나의 일이라고 생각하자. 아주 작은 일에서 솔선수범하면 세월이 흘러 분명 리더가 되어 있을 것이다. 관리자가 되어서도 남에게 사소한 일을 시키지 않을 것이다. 솔선수범하면 존경을 받을 수 있는 리더가 될 수 있다. 그 조직은 분명 성공 집단으로 성장할 것이다.

5. 꼰대가 되지 않는다.

　"우리 때는 말이지...어디를 감히....내가 그걸 왜? 내가 누군지 알아?" 상급자가 되어 하급자에게 행하는 참으로 어리석은 행동이다. 하급자는 꼰대 앞에서는 들어 주는척하지만 돌아서면 존경받지 못한다. 그의 말과 행동을 인정하지 않는다. 꼰대는 과거에 집착한다. 그들이 살아온 삶을 정당화하고 새로움을 갈구하지 않는다. 과거의 경험을 인지하고 현재와 미래를 융합하여 새로움을 창조해 나가는 역량이 필요하다.

6. 다양한 장르의 독서를 즐긴다.

　시간이 날 때마다 스마트폰에 의존하는 경우가 많다. 책을 읽기보다는 핵심적인 단어에 생각을 담는다. 줄거리에는 별 관심이 없다. 작가의 감성과 철학을 읽으려 노력하고 그들의 삶을 통하여 간접 경험하는 여유로움이 필요하다. 정치, 경제, 사회, 문화, 예술, 역사 등 다양한 장르의 독서가 필요하다.

7. 1 스포츠, 1악기 연주를 생활화한다.

유럽 선진국에서 중산층의 기준은 스포츠를 하나씩 즐길 수 있고 악기를 하나 정도는 연주할 수 있느냐? 그리고 사회 봉사활동을 하고 있는지가 관건이라고 한다. 우리나라는 중산층이라면 30평 아파트 소유, 자가용 소유, 현금 1억이 통장에 있느냐가 관건이라고 한다. 우리나라는 재산에 대한 관심이 많다. 100세 시대가 요즘은 대세다. 오래 살수록 건강해야 한다. 늙어 병상에 누워서 20~30년을 산다면 100세는 아무 의미가 없다. 젊을 때 우리는 스포츠를 즐기고 악기를 연주할 수 있어야 한다. 학교에서 그리고 직장에서 상호작용하며 살아가는 방법은 스포츠와 음악이다. 아무리 AI가 발달할지라도 인간의 건강과 감성을 대신할 수는 없다. 함께 더불어 살아가는 삶은 인간만이 나눌 수 있는 삶이다. 그 삶을 풍요롭게 하는 것은 바로 스포츠와 음악이다. 늙어서도 건강한 삶을 영위하고 맑은 정신을 가다듬어 줄 수 있도록 학교 교육에서부터 1 스포츠, 1 악기연주를 가르쳐야 한다.

주례 없는 결혼식

요즘 결혼식장엘 가면 예전과 다른 점이 주례가 없다는 것이다. 옛 은사님이나 지인분을 모시고 덕담을 듣곤 했었다. 만약 주례 선생님을 모시지 못하면 예식장에 상주하면서 일정한 비용을 받고 주례를 해주는 일명 아르바이트 주례 선생님을 모시고 결혼식을 하기도 하였다. 요즘은 새로운 결혼식 문화가 생겼다. 어찌 보면 굉장히 신선한 것 같다. 평생 자신의 성장을 지켜보신 양가 부모님 중 한쪽에서 성혼선언문을 낭독하고 결혼을 축하해 주고 또 다른 한쪽에선 덕담을 통해 진정성 있는 축사가 되는 모습을 보곤 한다. 신부 아버지가 덕담을 하는 경우엔 시집 보내는 아버지의 애틋한 마음이 전해져 눈물바다가 되기도 한다. 아예 양가 혼주의 등장 없이 사회자가 결혼식을 진행 하는 모습도 종종 볼 수 있다. 이는 한쪽의 혼주가 일찍 세상을 떠났거나 자리가 비어 있는 경우에 나타나는 모습이다. 아무튼 요즘의 주례 없는 결혼식은 격식에 얽매이지 않는 신선한 문화임엔 틀림없다.

주례를 서 본 경험이 있어 추억해 본다. 그때 내 나이가 마흔이었다. 첫 교직에서 만난 우리 반 중학교 1학년이었던 학생이 멋진 금융인으로 성장 하여 결혼식 주례를 부탁해 온 것이다. 아직 나이가 마흔인데 주례를 설 수 있을까? 난감하였다. 아무리 중학교 1학년 때 담임이었지만 하객으로 오시는 어르신들 앞에서 인생을 얼마나 살았다고 덕담을 할 수 있단 말인가. 처음엔 근무하고 있는 기관장님께 부탁을 드리는 것이 어떠냐고 신중하게 답을 하였는데 두 번째는 신부가 될 사람을 데리고 와 주례를 재차 부탁하는 게 아닌가. 결국 지난 추억을 생각하며 주례를 서겠노라고 답을 주었다. 그날 무슨 이야기를 했는지도 모르겠다. 신랑, 신부가 주례를 더 걱정하는 분위기였다. 이제 결혼한 제자도 당시 주례를 섰었던 내 나이보다 훨씬 나이를 더 먹었다. 결혼 후 두 형제를 낳아 큰아이는 2024년 모든 사람이 갈망하는 S대에 당당히 합격을 하였고 둘째 아이는 미래가 촉망되는 고등학교 야구 선수로 활약 중이다. 예전 결혼식에선 주례가 상당한 의미가 있는 존재로 여겨졌다. 새로운 인생을 시작하는 중요한 순간에 옛 스승, 직장 상사 등 평소 존경하는 분을 모시고 그분이 증인이 되어 결혼식을 하려고 했었다. 아무튼 마흔에 주례를 서게 해 준 제자가 고맙고 행복하게 가정을 일구어 가는 모습에 뿌듯함을 갖게 된다. 이제 세월이 흘러 격식을 떠나 가족적인 분위기 속에서 신랑이 춤을 추며 입장하고 축가와 축시 낭송이 이어지는 주례 없는 결혼식의 묘미를 만끽해 본다.

결혼 후 득남을 한 제자 부부 (2005년)

22년만에 만난 제자들(2010년)

(추억 사진 모음)

영일교육재단 설립자 立志 최상하 선생님

부위정경(2009년)

1989년 영일중 1학년 3반교실

21대 국회의원이 된 김00(1990. 가운데)

1991년 영일중 1학년 2반 교실

1992년 보이스카우트 활동(송도해수욕장)

1993년 영일중 3학년 6반

대전엑스포

제주도 친목 여행(1994년)

영일중 지리산 야영활동(1996년 3-7)

영일중 1학년2반(1997년)

영일중 축구동아리(1998년)

영일고등학교 학생부 선생님(1999년)

영일고 2학년3반(2000년)

영일고 제주도 수학여행(2001년)

교내체육대회(2002년)

영일고 체육대회(2002년. 3학년 9반)

양동마을 탐방(2003년 1학년4반)

태백산 정상에서 (2003년)

문경새재 걷기(2004년 1학년 4반)

1학년4반(2004년 문경테마여행)

야영(하옥학생야영장. 2004년)

스승의 날 행사(2005년)

학급테마여행(2006년 3학년 4반. 거제)

졸업테마여행(2006. 거제)

풋살부 경상북도 고등부 우승(2006년. 문경)

문화관광부장관배 고등부 풋살 우승(2007년)

위덕대총장배 고등부 풋살 우승(2009년)

우승의 기쁨(풋살 지도교사로서 보람 만끽)

서해안기름유출사고 기름제거참여(2007년)

일본 오사카 수학여행(2007년. 2학년 4반)

문경새재걷기(2008년 1학년 4반)

KBS 도전 골든벨 응원(2009년)

영일고 체육대회(2010년)

영일고 문화재지킴이단(2010년. 양동마을)

일요 축구 동아리(2010년 대송초 운동장)

포스코휴먼스 봉사활동(2010년 1학년 1반)

중국 북경 수학여행(2011년)

전국문화재지킴이대잔치(2011.문화재청상상 수상)

교무실 모습(2012년)

서울대, 한국외대 진학한 안강사나이(2012)

문경새재 걷기(2013년 2학년 2반)

철로 자전거 체험

중국 사주중학교와의 국제교류(2014년)

졸업테마여행(2014.문경새재)

아산 경찰교육원 입소(2015년. 동행 동아리)

영일 예술제 사회자(2016년)

영일 예술제 (2016년)

에이블 공연

영일고 체육대회(2016년)

수능 응원(2017년)

전국 100대 교육과정 우수학교 선정(2017년)

영일고 친목회(2018년 오어사)

새로 영일 가족이 된 신임 선생님(2019년)

1인1악기 발표 및 다도(2019년 1학년)

마성 철로 자전거(2019년)

코로나 졸업식 문화. 드라이브 스루(2021년)

공동교육과정운영(러시아어회화-영상제작)

코로나 시대(2021. 교과서 배부)

코로나로 인한 반별 졸업식(2022년)

지금은 코로나 시대

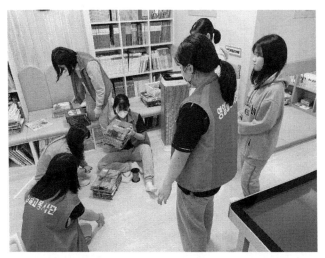

봉사활동(2023년. 다사랑지역아동센터)

현충일 추념식 참가(2023. 국립영천호국원)

학부모회 임원 일동(2023년)

심폐소생술 연수(2023년)

양동 정월대보름행사 참가(2024년)

위켄드 동아리 활동 모습

학생 참여형 수업 활동

■ 마무리

인성은 상호작용을 통한 나눔과 배려의 실천을
통해서 이루어지며 이는 곧 성숙한 민주시민으로
성장해 나가는 것이다.